C0-AYH-868

La guerra de los mundos

Literatura

Herbert George Wells

La guerra de los mundos

Título original: *The War of the Worlds*
Traductor: Ramiro de Maeztu

Diseño de cubierta: Alianza Editorial
Ilustración de cubierta: Ángel Uriarte

Calle Juan Ignacio Luca de Tena, 15; 28027 Madrid;
teléf. 91 393 88 88
www.alianzaeditorial.es
ISBN: 84-206- 5885-5
Depósito legal: M-5955-2005
Maquetación: Grupo Anaya
Impreso en Fernández Ciudad, S. L.
Printed in Spain

Pero ¿quién vive en esos Mundos si están habitados?... ¿Somos nosotros o ellos los señores del Universo?... ¿Y por qué han de estar hechas todas las cosas para el hombre?

KEPLER (Cita de Burton en *La anatomía de la melancolía*)

Libro primero
La llegada de los marcianos

1. La víspera de la guerra

Nadie habría creído en los últimos años del siglo XIX que las cosas humanas fueran escudriñadas aguda y atentamente por inteligencias superiores a la del hombre, y mortales, sin embargo, como la de éste; que mientras los hombres se afanaban en sus asuntos fuesen examinados y estudiados casi tan de cerca como pueden serlo en el microscopio las transitorias criaturas que pululan y se multiplican en una gota de agua. Con infinita suficiencia iban y venían los hombres por el mundo, ocupándose en sus asuntillos, serenos en la seguridad de su imperio sobre la materia. ¡Es posible que bajo el microscopio obren de igual manera los infusorios! Nadie imaginó que de los más antiguos mundos del espacio pudiera sobrevenir un peligro para la existencia humana; ni se pensaba en esos mundos más que para desechar como imposible o improbable la idea de que hubiese en ellos vida. Es curioso recordar ahora algunos hábitos mentales de aquellos lejanos tiempos. A lo sumo, los habitantes de la Tierra se figuraban que en el planeta Marte podía haber otros hombres, inferiores probablemente a ellos, y dispuestos a recibir con los brazos abiertos cualquier expedición misionera. Sin embargo, a través de los abismos del espacio, espíritus que son a los nuestros lo que nuestros espíritus son a los de las bestias de alma perecedera; inteligencias vastas, frías e implacables contemplaban esta Tierra con ojos envidiosos y trazaban con lentitud y seguridad sus planes de conquista. Y en los comienzos del siglo veinte sobrevino la gran desilusión.

El planeta Marte, apenas necesito recordárselo al lector, gira alrededor del Sol a una distancia media de 225 millones de kilómetros y la luz y el calor que recibe es justamente la mitad de los recibidos por nuestro mundo. Si la teoría de las nebulosas encierra alguna verdad, debe de ser el planeta Marte más viejo que el nuestro, y largo tiempo antes de que la Tierra se solidificara debió de comenzar la carrera de la vida sobre su superficie. El hecho de que su volumen escasamente llegue a la séptima parte del nuestro ha debido acelerar su enfriamiento hasta la temperatura en que sólo es ya posible la subsistencia de la vida. Tiene aire y agua y cuanto es necesario para el sostén de la existencia animada.

Pero el hombre es tan vano, tanto le ciega su vanidad, que ningún escritor antes del fin del siglo XIX expresó el pensamiento de que allá lejos la vida intelectual, caso de existir, se hubiese desarrollado muy por encima del humano nivel. Ni siquiera se comprendía que por ser Marte más viejo que la Tierra, por no contar sino apenas una cuarta parte de nuestra área superficial y por estar más alejado del Sol, tenía necesariamente que hallarse no sólo más distante del comienzo de la vida, sino más cerca del final.

El secular enfriamiento, que alcanzará algún día a nuestro planeta, ha avanzado ya mucho en el vecino. Sus condiciones físicas son aún en buena parte un misterio, pero sabemos ya que ni en sus regiones ecuatoriales la temperatura de las doce del día llega a la de nuestros inviernos más rigurosos. Su atmósfera es más tenue que la nuestra, sus océanos se han recogido al punto de no cubrir sino la tercera parte de la superficie y, al cambiar sus lentas estaciones, enormes montañas de hielo y de nieve se levantan y se funden en sus polos, inundando periódicamente las zonas templadas. Ese grado último de agotamiento, que es aún para nosotros increíblemente lejano, se ha convertido para los habitantes de Marte en el problema capital. La presión inmediata de la necesidad ha iluminado sus entendimientos, desenvuelto sus facultades y endurecido su corazón. Y al mirar a través del espacio, con aparatos e inteligencias que apenas nos es dable concebir, han visto a la más próxima distancia, a sólo 55 millones de kilómetros en dirección al Sol, una estrella matutina de esperanza, nuestro propio y más cálido planeta, de verde vegetación y de aguas grises, de atmósfera nublada, testimonio elocuente de fertilidad, y por entre los penachos movedizos de las nubes han vislumbrado comarcas dilatadas, de poblaciones densas, y mares surcados en todas direcciones por navíos.

Nosotros, los hombres, criaturas que habitamos esta Tierra, debemos serles por lo menos tan extraños y tan poca cosa como nos lo son los monos y los lemúridos. Ya la parte intelectual de la humanidad admite que la vida es incesante lucha por la existencia, y parece ser que ésta es la fe de los marcianos. Su mundo está ya muy frío, mientras el nuestro ofrece plétora de vida, pero plétora de lo que consideran como vida inferior. Y el único medio que tienen de escapar al aniquilamiento que, generación tras generación, merma sus filas consiste en llevar la guerra en dirección al Sol.

Antes de juzgarlos con excesiva severidad debemos recordar que nuestra propia especie ha destruido completa y bárbaramente, no tan sólo especies animales, como la del bisonte y el dodo, sino razas humanas inferiores. Los tasmanios, a despecho de su figura humana, fueron enteramente borrados de la existencia en exterminadora guerra de cincuenta años que emprendieron los inmigrantes europeos. ¿Somos tan grandes apóstoles de misericordia que tengamos derecho a quejarnos porque los marcianos combatieran con ese mismo espíritu?

Parece que los marcianos calcularon su descenso con pasmosa exactitud –sus conocimientos matemáticos son evidentemente superiores a los nuestros– y llevaron a término sus preparativos con perfecta unidad de miras. Si nuestros aparatos lo hubiesen permitido, habríamos observado alarmantes asambleas mucho antes de acabarse el siglo XIX. Hombres como Schiaparelli examinaban el planeta rojo –y es curioso, dicho sea de paso, que durante innumerables siglos haya sido Marte el planeta de la guerra–, pero no supieron interpretar las fluctuantes apariencias de los signos que anotaban tan exactamente en sus mapas astronómicos. Durante este tiempo los marcianos se aprestaban.

En la oposición de 1894 se vio una gran luz en la parte iluminada del disco, primero en el Observatorio de Lick, después en Niza, por Perrotin; luego por otros observadores. El público inglés supo de estos fenómenos por el número de *Nature* fechado el día 2 de agosto. Me inclino a creer que este fenómeno se debió a la fundición del enorme cañón, colosal agujero cavado en su planeta, que sirvió para dispararnos sus proyectiles. Otros signos peculiares, que tampoco se supo explicar, fueron vistos en las dos siguientes oposiciones, cerca del paraje de aquella explosión.

Hace ahora seis años que el cataclismo se abatió sobre nosotros. Al aproximarse Marte a la oposición, el astrónomo Lavelle de Java hizo palpitar todos los hilos de las comunicaciones astronómicas con la noticia asombrosa de una inmensa explosión de gas incandescente acaecida en el planeta observado. Ocurrió el hecho hacia media noche, y el espectroscopio, al que recurrió inmediatamente, indicó que una masa de gases inflamados, hidrógeno sobre todo, se movía con enorme velocidad en dirección a la Tierra. El chorro de fuego se hizo invisible un cuarto de hora después. Lo comparó a un soplo colosal de llamas lanzado de aquel planeta, violenta y rápidamente, «como salen los gases inflamados de la boca de un cañón».

Era la frase singularmente apropiada. Nada, sin embargo, dijeron del asunto los periódicos del día siguiente, excepto el *Daily Telegraph,* que publicó una breve noticia, y el mundo siguió ignorando uno de los peligros más graves que jamás amenazaron a la raza humana. Acaso no habría yo sabido nada de la erupción de no encontrarme en Ottershaw a Ogilvy, el conocido astrónomo. La noticia lo había excitado terriblemente, y en el colmo de su emoción me invitó a examinar con él aquella noche el planeta rojo.

No obstante lo que sucedió después, conservo el recuerdo preciso de aquella velada: el negro y silencioso observatorio, la sombría linterna que iluminaba débilmente un rincón, el regular tictac del mecanismo del telescopio, la ligera hendidura del dolmen –oblonga profundidad en que brillaba el polvo de las estrellas–. Ogilvy se movía a derecha e izquierda, invisible, haciéndose notar únicamente por el ruido. Mirando por el telescopio se veía un círculo de azul profundo, y el pequeño y redondo planeta flotaba en el campo visual. ¡Parecía tan poca cosa, tan brillante, tan callado, tan diminuto, marcado apenas por rayas transversales, ligeramente achatada su perfecta redondez!... ¡Tan pequeña, tan argéntea, tan luminosa aquella cabeza de alfiler! Se hubiera dicho que temblaba un poco, pero en realidad era el mismo telescopio el que vibraba con el movimiento de reloj que mantenía el planeta en el campo visual del aparato, no obstante el girar de nuestro planeta.

Al observarla, la diminuta estrella parecía engrosar y achicarse, alejarse y aproximarse, pero era sencillamente que los ojos se me cansaban. Estaba a sesenta millones de kilómetros en el espacio vacío. Pocas gentes conciben cuán inmenso es el vacío donde flota el polvo del universo material.

Cerca del astro, en el campo visual, había tres pequeños puntos luminosos, tres estrellas telescópicas, infinitamente lejanas, y todo alrededor era la oscuridad impenetrable del vacío. Ya saben ustedes qué efecto causa esa negrura en las noches estrelladas del invierno; pues aún parece más profunda en el telescopio... E invisible para mí, porque era tan pequeña y tan remota, avanzando rápida y fijamente hacia la Tierra con velocidades inauditas, acercándose cada minuto millares de kilómetros, venía la Cosa que nos enviaban, la Cosa que nos traía a esta Tierra tanta lucha, calamidad y muertes. No pensaba en ella al tiempo de observar; nadie en el mundo pensaba en aquel proyectil indefectible.

Hubo también aquella noche otro estallido de gas en la superficie del distante planeta. Yo lo vi. Fue un rojizo relámpago en el borde, una ligerísima proyección en el contorno; se lo dije a Ogilvy y se colocó en mi puesto. La noche era calurosa, tenía yo sed y me adelanté tambaleándome y a tientas hacia una mesa donde había un sifón, mientras Ogilvy lanzaba exclamaciones al contemplar el surco de gases que avanzaba hacia nosotros.

Veinticuatro horas después del primero, segundo más o menos, otro proyectil invisible, lanzado desde el planeta Marte, se ponía en camino hacia la Tierra. Recuerdo que al sentarme junto a la mesa manchas verdes y carmesíes me bailaban en los ojos. Habría deseado alguna luz, para pensar con más tranquilidad, no sospechando la significación de aquella claridad que había visto en un minuto, ni las consecuencias que me acarrearía. Ogilvy observó hasta la una, y lo dejó; cogimos la linterna y regresamos a su casa. Por debajo de nosotros se extendían en la oscuridad las barriadas de Ottershaw y Chertsey, donde centenares de gentes dormían en paz.

Habló largamente aquella noche sobre las condiciones del planeta Marte y se burló de la vulgaridad corriente según la cual los habitantes de aquel planeta nos estarían haciendo señales. Era su opinión que una lluvia copiosa de meteoritos caía sobre Marte, o bien que se producía una terrible explosión volcánica. Ogilvy me indicaba cuán inverosímil es que la evolución orgánica haya seguido la misma dirección en los dos planetas adyacentes.

–Las probabilidades contra la existencia en Marte de nada parecido al hombre son un millón por cada una en favor –me dijo.

Cientos de observadores vieron la llama aquella noche, y la siguiente, a las doce, y la otra, y así diez noches; una llama en cada una. Por qué cesaron los disparos después del décimo es cosa que nadie en esta Tierra ha tratado de explicarse. Tal vez los gases desprendidos perjudicaron a los marcianos. Densas nubes de humo o de polvo, que vistas desde la Tierra con poderosos telescopios parecían pequeñas manchas grises y movedizas, se esparcieron por la limpidez atmosférica del planeta, oscureciendo sus rasgos familiares.

Por último, hasta los periódicos diarios despertaron con estas perturbaciones, y aparecieron aquí y allá y en todas partes crónicas vulgarizadoras referentes a los volcanes de Marte. El cómico-serio periódico *Punch* aprovechó felizmente el asunto en una caricatura política. Y entre tanto, totalmente ignorados, los proyectiles de los marcianos se aproximaban a la Tierra, con velocidad de muchos kilómetros por segundo, a través de los abismos vacíos del espacio, ¡hora por hora y día por día, más cerca y más cerca! Hoy me parece casi increíblemente milagroso que los hombres se absorbieran en sus menudos intereses mientras el destino se cernía tan rápidamente sobre todos. Recuerdo el aire triunfal de Markham cuando obtuvo una nueva fotografía del planeta Marte para el periódico ilustrado que dirigía en aquella época. La mayoría de las gentes de estos tiempos conciben difícilmente la abundancia y el espíritu emprendedor de nuestros periódicos en el siglo XIX. Por lo que a mí se refiere, se me pasaba el tiempo en aprender a andar en bicicleta y en escribir una serie de artículos sobre el desarrollo probable de las ideas morales en relación con los progresos materiales.

Una noche (el primer proyectil distaba de nosotros menos de 16 millones de kilómetros) salí de paseo con mi esposa. La noche era estrellada; le expliqué los signos del Zodiaco y le mostré Marte, brillante punto que ascendía al cenit y hacia el cual se dirigían tantos telescopios.

La noche era cálida; un grupo de excursionistas, al volver de Chertsey o de Isleworth, pasaban cantando y tocando la música. Se iluminaban las ventanas altas de las casas al acostarse las gentes. De la estación lejana nos llegaban los ruidos de los trenes al cambiar de línea, traqueteo, campanillazos y silbidos, que al suavizarse en la distancia casi, casi concertaban con la música de los excursionistas.

Mi esposa me hizo notar el fulgor de las señales rojas, verdes y amarillas que se destacaban sobre el cielo con su armazón de hierro. Todo parecía seguro y tranquilo.

2. El meteoro

Y llegó la noche en que cayó el primer meteoro. Fue visto de madrugada; pasó sobre Winchester, en dirección a Oriente, una línea de fuego muy elevada. La contemplaron centenares de personas, que la creyeron una estrella errante, idéntica a las otras. En la descripción de Albin se habla de un rastro grisáceo que dejaba el meteoro, y que resplandecía algunos segundos. Denning, nuestra autoridad más reputada en meteoritos, atestigua que la altura de su primera aparición fue de ciento cuarenta a ciento sesenta kilómetros. Le pareció que había caído a unos ciento cincuenta kilómetros al Este.

Yo estaba en casa a esa hora, escribiendo en mi despacho, y aunque dan mis ventanas a Ottershaw y tenía abiertas las celosías (gustábame entonces contemplar el cielo nocturno) nada vi del fenómeno, y, sin embargo, la cosa más extraña que jamás llegó a la Tierra del espacio debió de caer mientras estaba yo sentado, y la habría visto con levantar los ojos al tiempo que pasó. Algunos dicen que su vuelo producía un silbido especial. Muchas gentes de los condados de Berkshire, Surrey y Middlesex debieron de presenciar la caída y casi todos pensarían que se trataba de otro meteorito. Nadie se molestó aquella noche en examinar el bloque.

Pero a la madrugada del día siguiente el pobre Ogilvy, que había visto la disparada estrella, persuadido de que el meteorito se hallaba en las tierras comunales situadas entre Horsell, Ottershaw y Woking, se levantó temprano con la idea de encontrarlo. Y lo encontró, en efecto, poco después del amanecer, no muy lejos de las canteras de arena. La fuerza del proyectil había hecho un agujero enorme, y la arena y el cascajo, lanzados violentamente en todas direcciones, formaban sobre los brezos y los matorrales montículos visibles a dos kilómetros. En dirección Este ardían algunos brezos; una humareda azul se elevaba a los cielos.

La Cosa yacía, casi por completo enterrada en la arena, entre los fragmentos esparcidos de un abeto despedazado en la caída. La parte descubierta ofrecía el aspecto de un cilindro colosal, de corteza recocida y de contornos suavizados por una espesa incrustación escamosa y de color oscuro. Era su diámetro de 25 a 30 metros. Ogilvy se acercó a la masa, sorprendido de su tamaño, y aún más de su forma, porque la mayoría de los meteoritos son redondos.

Pero el roce del aire había aumentado su temperatura de tal modo, que era imposible aproximarse mucho. Atribuyó al desigual enfriamiento de la superficie el insistente ruido que se producía en el interior del cilindro; aún no se le había ocurrido que pudiera estar hueco.

Permaneció de pie al borde del agujero, extrañándose del raro aspecto del cilindro, desconcertado sobre todo por la forma y el color, que no eran los de otros meteoritos, y percibiendo vagamente, aun entonces, ciertos indicios de que pudiera ser intencionada esta caída. No recordaba haber oído cantar los pájaros aquella madrugada; no había brisa: los únicos ruidos que oía eran los débiles chasquidos de la masa cilíndrica. Estaba solo en la llanura.

De pronto advirtió, no sin estremecerse, que parte de la escoria gris, cenicienta incrustación del meteorito, se desprendía de la masa para caer en forma de copos en la arena. Un gran trozo se lanzó violentamente, haciendo al caer un ruido áspero que le oprimió el corazón.

Durante un instante no comprendió lo que esto significaba, y, aunque el calor era excesivo, bajó al agujero y se colocó junto al bloque para ver la Cosa más claramente. Todavía se imaginaba que el enfriamiento podría explicar aquellos desprendimientos, pero contradecía esta idea el hecho de que las cenizas no se desprendieran sino de un extremo del cilindro.

Advirtió entonces que la cima circular del cilindro giraba lentamente. Era un movimiento tan pausado que sólo lo notó porque una mancha negra que, cinco minutos antes tenía junto a los pies, se hallaba en el otro lado de la circunferencia. Ni aun entonces comprendió apenas lo que esto indicaba hasta que oyó un chillido sordo y vio avanzar bruscamente la mancha negra una pulgada o dos. Y la verdad se le reveló como un relámpago. ¡El cilindro era artificial –hueco– y la tapa estaba hecha a tornillo! ¡Alguien desde dentro la destornillaba!

–¡Cielo santo! –exclamó Ogilvy–. ¡Hay algún hombre, tal vez hombres encerrados, medio asados, que tratan de escapar!

Y, de un salto, relacionó el suceso con la explosión que había observado en el planeta Marte.

El pensamiento de las criaturas encerradas le inspiró tal espanto, que olvidando el calor, se acercó al cilindro para ayudar al destornillamiento. Afortunadamente la irradiación opaca lo detuvo antes de que pudiera quemarse las manos en el metal todavía incandescente. Permaneció indeciso un momento, volvió la espalda, trepó por el foso hasta encontrarse fuera y echó a correr a todo escape en dirección a Woking. Eran poco más o menos las seis de la mañana. Tropezó con un carretero y quiso hacerle comprender lo ocurrido; pero eran tan extraños el relato y el aspecto de Ogilvy, quien había dejado caer el sombrero en el hoyo, que el hombre continuó tranquilamente su camino. Tampoco logró convencer al mozo que abría las puertas de la posada de Puente Horsell. Pensó el dependiente que se las había con un loco escapado y quiso encerrarlo en el despacho de bebidas. Hízole esto calmarse algún tanto, y cuando vio a Henderson, el periodista londinense, en su jardín, lo llamó por detrás de la empalizada y consiguió al cabo hacerse comprender.

–¡Henderson! –gritó–. ¿Vio usted anoche el meteorito?

–¿Y qué? –preguntó Henderson.

–Ahora está en la llanada de Horsell.

–¡Caramba...! ¡Un meteorito caído! ¡Bonito asunto!

–Más que un meteorito. ¡Es un cilindro, y un cilindro artificial, amigo...! ¡Y que tiene algo dentro!

El periodista se enderezó, azada en mano.

–¿Qué, qué es eso...? (Henderson era sordo de un oído.)

Ogilvy le contó cuanto había visto. El reportero se quedó perplejo uno o dos minutos antes de entender bien. Plantó la azada en tierra, se caló la americana y salió al camino. Los dos volvieron inmediatamente a la llanada. Estaba el cilindro en la misma posición. Pero ya habían cesado los ruidos interiores y era visible un delgado círculo de brillante metal entre el extremo y el cuerpo del cilindro. El aire, al penetrar o al escaparse por el reborde, silbaba tenuemente.

Escucharon: dieron con un bastón varios golpes a la superficie arenosa y, como nadie respondiera, dedujeron que el hombre o los hombres del cilindro habían perdido el conocimiento, tal vez muerto.

Érales imposible hacer nada útil. Trataron de consolar a los seres del cilindro, prometiéndoles a gritos amparo y socorro, y se volvieron a la ciudad para implorar ayuda. ¡Había que verlos, cubiertos de arena, frenéticos, desordenados, subir a toda velocidad por la callejuela, bajo el resplandeciente sol, mientras los comerciantes abrían las tiendas y los vecinos las ventanas de las habitaciones! Henderson se dirigió inmediatamente a la estación para telegrafiar las noticias a Londres. Ya los artículos de los periódicos habían preparado los ánimos para juzgar verosímil el suceso.

A eso de las ocho, gran número de chicuelos y de curiosos emprendieron el camino de la llanada para ver a «los hombres muertos caídos de Marte». Así se bautizó el suceso. La primera noticia me la dio el vendedor de periódicos cuando salí a comprar el *Daily Chronicle*. Me sorprendió la cosa, y sin perder minuto me encaminé a las canteras de arena por el puente de Ottershaw.

3. En la llanada de Horsell

Una veintena de personas rodeaba el inmenso agujero. Ya he descrito el aspecto del colosal bloque hundido en tierra. El césped y la arena de los bordes parecían carbonizados por violenta explosión. Sin duda produjo el choque una gran llamarada. Henderson y Ogilvy no se hallaban allí; juzgaron que nada había que hacer por el momento y se marcharon a almorzar.

Cuatro o cinco chicos, sentados en la orilla del foso, con los pies colgando, se divertían en arrojar piedras a la gigantesca masa. Les rogué que dejaran de hacerlo y se pusieron a jugar.

Entre los curiosos había dos ciclistas, un peón jardinero a quien daba yo trabajo algunas veces, una muchacha con un niño en brazos, Gregg el carnicero y su hijo, y dos o tres golfos y vendedores ambulantes que merodeaban habitualmente por los alrededores de la estación. Se hablaba poco. Por aquellos tiempos eran muy vagos los conocimientos astronómicos entre las gentes del pueblo inglés. La mayor parte contemplaba tranquilamente la enorme tapadera del cilindro, que estaba aún como Henderson y Ogilvy la habían dejado.

El populacho, que pensaba haber visto un montón de cuerpos carbonizados, se desilusionaba ante aquella masa inerte. Algunos se marcharon, otros vinieron. Descendí al agujero, y creí sentir bajo los pies un movimiento. La tapadera había cesado de girar.

Sólo al acercarme se me hizo evidente la rareza del objeto. A primera vista no interesaba más que un coche volcado o un árbol caído en medio del camino; acaso menos. Más que otra cosa humana parecía un gasómetro enterrado. Era preciso cierta educación científica para advertir que las escamas grises no eran producto de vulgar oxidación, y que el metal blanco amarillento que relucía en la hendidura situada entre la cubierta y el cilindro presentaba un color particular. La palabra «extraterrestre» nada significaba para la mayoría de los espectadores.

En aquel momento se me hizo evidente que la Cosa venía de Marte, pero juzgué improbable que contuviera criatura viviente alguna. Pensé que era automático el destornillamiento.

A pesar de Ogilvy, yo creía en los habitantes de Marte. Soñé en la posibilidad de manuscritos encerrados y en las dificultades probables de su traducción, en las monedas y modelos que el cilindro contendría... y así por el estilo. Pero la Cosa era demasiado grande para que tales hipótesis me tranquilizaran. Sentí impaciencia por contemplarla abierta. A eso de las once, como nada parecía ocurrir, me volví a casa pensando en el asunto. Me costó gran esfuerzo trabajar en mis abstractas investigaciones.

Al llegar la tarde se había transformado el aspecto de la llanada. Las primeras ediciones de los periódicos de la noche sobresaltaron a Londres con enormes títulos:

¡¡¡MENSAJE DEL PLANETA MARTE!!!
¡¡¡SUCESO ESTUPENDO!!!

Y el telegrama de Ogilvy al observatorio meteorológico central había ya revuelto todos los observatorios de Inglaterra, Escocia e Irlanda.

Había ya en el camino, junto a las canteras de arena, más de media docena de coches de alquiler, procedentes de la estación de Woking, una cesta[1] de Chobham y un carruaje bastante señorial. Había también un enjambre de bicicletas. Y además gran número de gente, que no obstante el calor, se fue a pie desde Woking y Chertsey, formando una multitud considerable, en la que descollaban algunas damas vestidas de claro.

El calor era fuerte: ni una nube en el cielo, ni una brizna de viento en el aire, ni más sombra que la proyectada por algunos abetos desparramados. Se había extinguido el incendio de los matorrales; pero toda la llanada visible hacia Ottershaw estaba negra y de ella ascendían verticales rastros de humo. Un vendedor de refrescos envió a su hijo con carga de frutos y botellas de cerveza.

En el interior del agujero encontré a media docena de hombres. Henderson, Ogilvy y un señor alto y muy rubio, que supe después que era Stent, del Observatorio Real, con varios trabajadores provistos de picos y palas. Stent los dirigía con voz clara y chillona. Estaba en pie sobre el cilindro, que debía de haberse enfriado considerablemente. Tenía la cara roja y chorreando sudor; alguna cosa parecía irritarle.

Gran parte del cilindro se hallaba al descubierto, aunque lo más bajo estuviese aún hundido. En cuanto me

1. Carruaje de cuatro asientos con caja de mimbre cubierta por un toldo y provista de cortinas plegables.

vio Ogilvy me hizo bajar al agujero para rogarme que fuera a ver a lord Hilton, el propietario.

Me dijo Ogilvy que la multitud, cada vez mayor –y los chicuelos especialmente–, estorbaba el trabajo. Quería que se instalara en lo alto una cerca y que se los ayudara a hacer recular a la gente. Me dijo también que se oían de cuando en cuando ruidos débiles procedentes del interior, pero que los trabajadores no habían podido destornillar la tapadera porque no habían hallado sitio de donde asirse. Las paredes parecían ser de un espesor enorme, y era posible que los débiles sonidos escuchados fueran signos de un gran estruendo en el interior.

Me alegré de hacerle este servicio, porque así sería yo uno de los espectadores privilegiados que franquearían la cerca. No encontré a lord Hilton en su casa, pero supe que se le esperaba para el tren de las seis; eran las cinco y cuarto; me fui a casa, tomé el té y me encaminé a la estación para aguardarlo.

4. El cilindro se destornilla

El sol se ponía cuando regresé a la llanada. Gentes de Woking se acercaban presurosas al lugar del suceso y una o dos personas se volvían a sus casas. Aumentaba la multitud en torno al agujero; y se destacaban en negro sobre el amarillo limón del cielo crepuscular las firmes siluetas de unas doscientas personas. Se hablaba en voz alta, como en una disputa. Extrañas fantasías surgieron en mi espíritu. Al aproximarse oí la voz de Stent:

–¡Atrás! ¡Atrás!

Un chicuelo se me acercó corriendo y me dijo al pasar:

–¡Eso se mueve...! ¡Se destornilla! ¡Se destornilla solo...! Tengo miedo... Yo me vuelvo, me vuelvo...

Me metí entre la gente. Creo que no bajarían de doscientas o trescientas las personas que se codeaban y empujaban unas a otras, y no eran las damas las menos activas.

–¡Se ha caído al hoyo! –gritó alguien.

–¡Atrás! –exclamaron muchos.

La muchedumbre se agitó como una ola. Me abrí camino a fuerza de codazos. Toda aquella gente me pareció víctima de un frenesí. Subía del agujero un particular ruido de martillazos.

–Escucha –me dijo Ogilvy–. ¡Ayúdame a echar atrás a estos idiotas! ¡No sabemos lo que puede haber en esa maldita Cosa!

Vi que un joven, en quien reconocí a un hortera de Woking, de pie sobre el cilindro, pugnaba por salir del agujero, adonde la multitud lo había arrojado.

La tapadera se destornillaba sola. Ya se veía medio metro de la rosca reluciente. Alguien me empujó y estuve a pique de caer contra el cilindro. Di media vuelta y entonces debió de concluir el destornillamiento, porque la tapa cayó sobre el cascajo, produciendo la caída un metálico tañido. Apoyé los codos en la persona que se hallaba a mi espalda y nuevamente pude contemplar la Cosa. Por un momento la cavidad circular me pareció completamente negra. El sol me daba en los ojos.

Me imagino que todos esperaban ver surgir un hombre; tal vez un ser en cierto modo distinto de nosotros, pero un hombre en esencia. Yo así lo esperaba. Al mirar atentamente no tardé en ver que algo se movía en la sombra, con movimientos inciertos y ondulados, uno encima de otro. Al cabo se destacaron dos discos luminosos, dos ojos tal vez, y algo parecido a una culebrilla gris, gruesa como un bastón, se desplegó de un cuerpo convulsivo para hacer contorsiones en el aire, cerca de mí. Y a esta cosa retorcida siguió otra, y otra...

Me estremecí violentamente. Oí a mis espaldas el chillido de una mujer. Con los ojos fijos en el cilindro, de donde surgían incesantemente nuevos tentáculos, di un cuarto de vuelta y a empujones logré alejarme del borde del hoyo. El asombro sucedía al horror en los rostros de las gentes que me rodeaban. Por todas partes se profirieron exclamaciones inarticuladas y hubo un movimiento general de retroceso. El dependiente de comercio se encaramaba penosamente a la orilla del agujero; me encontré solo. Las gentes del otro lado, Stent entre ellas, corrían a todo escape. Miré de nuevo el cilindro y fui presa de irresistible terror. Quedé petrificado, con la mirada inmóvil.

Una masa grisácea y redonda, del tamaño de un oso, se alzaba lenta y trabajosamente hacia fuera del cilindro. Cuando le dio la luz plena, brillaba como cuero humedecido. Dos colosales ojos oscuros me miraron con fijeza. La redonda masa tenía un rostro, si vale esta palabra. Había bajo los ojos una boca cuyos bordes sin labios, temblorosos y palpitantes, segregaban saliva. Suspiraba y latía el cuerpo convulsivamente... Un apéndice tentacular, delgado y blando, se asió del borde del cilindro y otro se balanceó en el aire.

Los que no hayan visto un marciano vivo se imaginarán difícilmente el horror extraño de su aspecto, la singular boca en forma de V con el labio superior puntiagudo, la ausencia de barba por debajo del labio inferior, que es una especie de rincón, el temblor incesante de esta boca, el gorgóneo[1] grupo de los tentáculos, la tumultuosa respiración de los pulmones en atmósfera distinta a la habitual, la pesadez y el esfuerzo notorios de los movimientos debidos a la mayor gravitación de la Tierra y, sobre todo, la extraordinaria intensidad de los ojos inmensos; todo esto me produjo una sensación parecida a la náusea.

Había algo de hongo en su aceitosa piel oscura y algo indeciblemente monstruoso en la torpe dirección de

1. Wells establece un paralelismo físico entre los marcianos y las gorgonas, seres mitológicos que, según Esquilo, eran «monstruos odiados por los mortales, con serpientes por cabellera, que jamás hombre alguno miró a la cara sin perder la vida».

sus pesados movimientos. Aun en este primer encuentro, en la primera ojeada, me sentí abrumado de asco y de miedo.

De pronto, el monstruo desapareció. Había tropezado en la orilla del cilindro y cayó al hoyo, haciendo el ruido de un montón de cuero. Le oí proferir un peculiar grito ronco e inmediatamente otra de estas criaturas apareció confusamente en las profundas sombras de la entrada.

Se me pasó el acceso de terror. Pude correr en dirección a los árboles más próximos, a unos cien metros de distancia, pero lo hice oblicuamente y dando traspiés, pues no podía apartar los ojos de semejantes cosas.

Me detuve, jadeante, entre unos abetos jóvenes y, escondido tras unas zarzas, esperé. En toda la llanada alrededor del agujero se veían gentes que, como yo, medio fascinadas de miedo, contemplaban aquellas criaturas o, mejor dicho, el cascajo que rodeaba el agujero.

Vi entonces –y me estremecí de nuevo– que un punto redondo y negro subía y bajaba en la orilla del hoyo. Era la cabeza del hortera caído, que parecía un punto negro al destacarse entre las llamas del cielo occidental. Consiguió el dependiente que le viéramos un hombro y una rodilla, pero cayó de nuevo y solo la cabeza permaneció visible... ¡Desapareció súbitamente! Me imaginé escuchar un débil ¡ay! Algo me impulsaba a socorrerlo, pero no pude refrenar mis temores.

Todo entonces se hizo invisible, escondido en el hoyo profundo y en los montones de arena levantados en la caída del cilindro. Quien hubiere venido por el camino de Chobham o de Woking se habría maravillado al ver un grupo de unas cien personas, diseminadas en un gran círculo irregular, escondidas en fosos o detrás de matorrales, de barreras o de puertas, que no se hablaban sino a gritos cortos y rápidos, y que tenían la vista fija en unos montículos de arena. Allí estaba la tabla del vendedor ambulante, sola, negra, ante el cielo encendido. En el camino solitario se tendía una serie de vehículos abandonados, cuyos caballos golpeaban el suelo o comían su ración de avena en los sacos atados al hocico.

5. El Rayo Ardiente

Después de haber visto cómo los marcianos emergían del cilindro en que vinieron a la Tierra desde su planeta, una especie de fascinación paralizó mis movimientos. Seguí en pie, hundido en la maleza hasta las rodillas, los ojos fijos en el montículo que me los ocultaba. La curiosidad y el miedo batallaban en mi ánimo.

No me atrevía a volver al agujero, pero deseaba ardientemente inspeccionarlo. Me adelanté, describiendo grandes curvas, buscando posiciones ventajosas y mirando fijamente los montones de arena. Se destacó en el horizonte rojo una especie de penacho de correas delgadas y negras y desapareció en seguida. Inmediatamente se alzó un varillaje que mostró una tras otra sus articulaciones y en cuya cima un disco circular se puso a dar vueltas con irregulares movimientos. ¿Qué sucedía en el agujero?

La mayor parte de los espectadores se había reunido en dos grupos; uno en dirección de Woking, el otro hacia Chobham. Evidentemente compartían mis dudas. Había algunos junto a mí. Me acerqué a uno de ellos –creo que era vecino mío, aunque no sabía su nombre– y le hablé. Pero no era el momento oportuno para conversar serenamente.

–¡Qué asquerosas bestias...! ¡Dios santo! ¡Qué asquerosas bestias! –exclamaba y repetía la frase una y otra vez.

–¿Vio usted caer a un hombre al agujero? –le pregunté.

No me contestó. Callamos los dos, y seguimos atentos a lo que ocurriera, el uno junto al otro; y se me figura que sentíamos cierto alivio en nuestra mutua compañía. Cambié de puesto para instalarme en una cumbre que me daba uno o dos metros más de altura. Cuando volví los ojos, mi compañero regresaba a Woking.

El ocaso se hizo crepúsculo antes de que otra cosa acaeciera. A lo lejos la multitud parecía crecer en dirección a Woking. Yo escuchaba sus ruidos confusos. En cambio se había dispersado el grupo de Chobham. El cilindro no daba señales de vida.

Esto reanimó el valor entre las gentes, y supongo que los recién venidos de Woking inspirarían su confianza a los otros. Sea como fuere, al tenderse la oscuridad comenzó en la llanada un movimiento intermitente y tardo.

Verticales formas negras avanzaban de dos en dos y de tres en tres, se detenían, observaban, adelantábanse de nuevo y se extendían de este modo en una media luna irregular que parecía cercar el agujero con sus cuernos adelgazados. Yo también me encaminé hacia el hoyo.

Algunos cocheros conducían valerosamente sus carruajes por la llanada y se oyeron el estrépito de los cascos y el chirrido de las ruedas. Recogió un chicuelo la tabla de provisiones. Y por el lado de Horsell avanzaba a treinta metros del agujero un grupito de hombres; el que iba a la cabeza agitaba una bandera blanca.

Eran los parlamentarios. Habían celebrado un rápido consejo y resuelto que, puesto que eran los marcianos, a despecho de sus formas repulsivas, seres inteligentes, se acercarían a ellos para demostrarles que también nosotros tenemos inteligencia.

Ondeaba la bandera al viento. El grupo avanzó de través, primero a la derecha, a la izquierda en seguida. Estaba demasiado lejos para reconocer a nadie, pero después supe que Ogilvy, Stent y Henderson habían intentado tal ensayo de comunicación. A medida que avanzaban se iba estrechando el círculo formado por las gentes diseminadas en derredor del agujero.

Sobrevino de pronto un relámpago, y salió del agujero una humareda luminosa y grisácea en tres distintas bocanadas, que fueron a perderse, una tras otra, en el aire tranquilo.

Esta humareda –llamarada tal vez– era tan brillante, que, cuando subían aquellas bocanadas, aún parecieron oscurecerse más el cielo sin luna, profundo, azul sobre nuestras cabezas, y la tierra sombría y brumosa, ennegrecida por los abetos negros, y quedaron más oscuros cielo y tierra al desvanecerse la humareda. Al mismo tiempo se comenzó a oír un silbido.

El asombro detuvo a los parlamentarios, puñado de formas verticales y oscuras que se destacaban en el suelo negruzco. Cuando ascendió la verde humareda, se iluminaron sus rostros de verde palidez.

Y, lentamente, el silbido se convirtió en zumbido y el zumbido en alarido retumbante e igual. Y, lentamente, una forma de enorme joroba se alzó en el agujero, y surgió tímidamente de esa forma el espectro de un rayo luminoso.

Y en seguida brotaron llamas reales y brillantes resplandores en el grupo de hombres dispersados, y llamas y resplandores saltaban del uno al otro. Diríase que algún chorro invisible llegaba a ellos, produciendo con el choque blancas llamas. Parecía que cada hombre era de pronto convertido en fuego.

A la luz de su propia destrucción los vi tambalearse y caer. Los que los seguían echaron a correr.

Me quedé atontado, sin comprender todavía que era la muerte lo que saltaba de un hombre a otro. Tenía la impresión de que era algo extraño, una luz sorda y deslumbradora, al mismo tiempo que hacía caer por tierra cuantas cosas alcanzaba, que incendiaba los abetos y las zarzas secas, y que, a lo lejos, hacia Knaphill, prendía fuego las hileras de árboles y las quintas de madera.

Rápida y regularmente describía una curva esta muerte flamígera, esta invisible e inevitable espada de fuego. Advertí que se me acercaba al incendiarse algunos matorrales, pero mi espanto y estupefacción no me dejaban echar a correr. Parecía tenderse entre los marcianos y yo, al través de la maleza, un dedo invisible, pero ardiente.

A lo largo de una línea curva, por encima de las canteras, la tierra crujía y humeaba. Cayó algo con estrépito en el camino de Woking. Inmediatamente cesaron los alaridos, y la forma negra parecida a un dolmen se hundió lentamente en el agujero y desapareció.

Todo esto se había efectuado con tanta rapidez, que me quedé inmóvil, sordo y ciego por el ruido y por la luz. Si aquella muerte hubiera descrito el círculo completo, de seguro me habría alcanzado por sorpresa. Pero se detuvo y me perdonó, dejando caer sobre mi espíritu la noche hostil y negra.

La llanura ondulada se hallaba sumergida en tinieblas, excepto en los parajes donde se tendían, pálidos y grises bajo el cielo azul oscuro de la noche, los caminos que la cruzaban. Todo era negrura y soledad. Por encima de mi cabeza iban apareciendo las estrellas una tras otra. Todavía brillaba el cielo en el poniente, pálido y casi verde. Las cimas de los pinos y los techos de Horsell se destacaban netamente en negro sobre la última claridad occidental.

Nada se veía de los marcianos ni de su maquinaria, como no fuera el delgado mástil sobre el cual se movía sin cesar un espejo. Árboles aislados y cercas de matorrales ardían y humeaban aquí y allá. Varias casas lanzaban espirales de llamas a la tranquila atmósfera nocturna.

Fuera de esto y de mi horrible asombro, nada había cambiado. Suprimida la existencia de las negras manchas que acompañaron la bandera blanca, nada turbaba la calma de la noche.

Advertí que me hallaba allí, en aquel llano oscuro, sin ayuda, sin amparo, solo. Y de pronto, como si algo imprevisto cayera sobre mí, me acometió el terror; hice un esfuerzo y me lancé a correr, tropezando a cada zancada en la maleza.

El miedo que sentí no era temor razonado; era pánico, y no sólo de los marcianos, sino de la oscuridad y del silencio. Me produjo tan grande abatimiento, que lloraba silenciosamente al correr, lloraba como un niño. Ni siquiera me atrevía a volver la cabeza.

Me acuerdo de haber tenido la sensación extraña de que alguien jugaba conmigo, de que aquella muerte misteriosa, rápida como el paso de un relámpago, iba a brotar del cilindro y me alcanzaría cuando creyera franquear el peligro...

6. El Rayo Ardiente en el camino de Chobham

Es todavía materia de asombro el modo rápido y silencioso con que pueden sembrar la muerte los marcianos. Piensan muchas personas que los hijos del planeta Marte han conseguido engendrar un calor intenso en cámara de inconductividad prácticamente absoluta, y que por medio de un espejo parabólico, de composición desconocida, proyectan ese calor intenso contra el objeto de su elección, como proyectan los faros un rayo de luz. Pero nadie ha logrado demostrar irrefutablemente estos detalles. Sea como fuere, es lo cierto que lo esencial consiste en un rayo de calor, calor invisible en vez de luz visible. Y cuantas cosas pueden arder se inflaman al contacto de ese rayo, el plomo se derrite como el hielo, se ablanda el hierro, se casca y funde el vidrio y el agua se evapora inmediatamente.

Cerca de cuarenta personas yacían aquella noche, bajo la luz de las estrellas, carbonizadas, desfiguradas, incognoscibles. Hasta la mañana siguiente nadie cruzó por la llanura que se extiende de Horsell a Maybury. Matorrales y abetos ardieron libremente.

La noticia de la matanza debió de llegar al mismo tiempo a Chobham, a Woking y a Ottershaw. Las tiendas de Woking estaban cerradas cuando acaeció la catástrofe, y muchas personas, tenderos y otras gentes, estimuladas por los relatos que se hacían, se encaminaron hacia Puente Horsell por entre las zarzas que dan a la llanura. Imaginémonos a muchachos y muchachas que, una vez terminada la tarea del día, tomaban pretexto del meteoro, como lo hubieran tomado de cualquier otra cosa, para pasear juntos y hacerse el amor. Imaginémonos el murmullo de las voces en el crepúsculo, a lo largo del camino...

Pocas gentes sabían en Woking que el cilindro estuviese abierto, aunque el pobre Henderson había enviado a un periódico de la noche un telegrama urgente por mandadero, que lo llevó en bicicleta a la estación de telégrafos.

Los curiosos desembocaban en la llanura de dos en dos y de tres en tres, y se encontraban con pequeños grupos que discutían animadamente mientras examinaban el espejo giratorio que se veía sobre las canteras de arena. La excitación de estos grupos se comunicó rápidamente a los recién llegados.

A eso de las ocho y media, cuando fueron muertos los parlamentarios, podía haber unas trescientas personas, además de las que se iban aproximando a los marcianos. Tres agentes de policía, a caballo uno de ellos, secundaban las órdenes de Stent, tratando de impedir que la multitud se acercara al cilindro. Esos espíritus, irreflexivos e irritables, para quienes toda asamblea es motivo de barullo y de violencia, protestaban con acritud.

Stent y Ogilvy, en previsión de colisiones, habían telegrafiado desde Horsell, al aparecer los marcianos, en súplica de que se les enviase una compañía de soldados para proteger a tan extrañas criaturas contra posibles agresiones. Luego de poner este telegrama fue cuando intentaron la desgraciada empresa de entablar amistosa relación con los marcianos. Concuerda con mis propias impresiones el relato que hacía la multitud de la muerte de los parlamentarios; las tres bocanadas de humo verde, el sordo zumbido y los chorros de llama.

Esas gentes se salvaron de manera aún más milagrosa que la mía, gracias a que un montón de arena cubierto de maleza se interpuso entre ellos y la parte inferior del Rayo Ardiente. De haberse puesto el espejo parabólico unos metros más arriba, ninguno de ellos lo habría contado. Vieron los relámpagos de fuego y cómo caían los hombres y cómo una mano invisible incendiaba la maleza y se les acercaba bajo la queda luz de las estrellas.

Se oyó en esto un silbido acallador del zumbido que partía del foso; vibró el rayo apenas más arriba de las cabezas e incendiáronse las copas de las hayas que bordean el camino, y estallaron los ladrillos, y se rompieron los cristales, y ardieron los marcos de las ventanas, y cayó hecho pedazos el alero de la casa que hacía esquina en la alameda.

Ante el crujido y el silbido y el resplandor de los árboles ardiendo, la multitud, atacada de pánico, pareció vacilar. Comenzaron a descender al camino chispas y ramas encendidas; las hojas caían convertidas en llamaradas. Se incendiaban sombreros y trajes... En seguida se oyó un grito en la pradera...

Hubo chillidos y clamores, y de pronto el caballo del policía partió a galope por entre la gente, mientras el jinete, lanzando un grito de dolor, se llevaba las dos manos a la cabeza.

–¡Que vienen! –chilló una vieja.

E inmediatamente volvieron todos las espaldas y, empujando a los de atrás, trataron de ponerse de nuevo en camino de Woking. Todos huyeron tan confusamente como rebaño de corderos. En el paraje donde el camino se estrecha, la muchedumbre oprimida luchó furiosamente. No todos escaparon; tres personas –dos mujeres y un niño– fueron magulladas, pisoteadas y abandonadas a la muerte en medio del terror y de la oscuridad.

7. De cómo llegué a casa

Por mi parte no recuerdo otra cosa de mi fuga que tropezones violentos en los árboles y traspiés en la maleza. El miedo a los marcianos me envolvía por todas partes; los veía blandir en torno de mí su implacable espada de fuego, que vibraba sobre mi cabeza para caer y matarme. Iba por el camino de Horsell y corrí hasta el atajo.

Me fue al fin imposible avanzar. Rendido por la violencia de las emociones y de la carrera, me desplomé al borde del camino. Fue junto al puente que cruza el canal cercano a la fábrica de gas.

Debí de permanecer exánime bastante tiempo.

Luego me senté, perplejo. Durante largo rato no me pude dar cuenta de cómo estaba allí. El pánico se me había caído del cuerpo cual si fuera una capa. Estaba sin sombrero y con el cuello suelto. Momentos antes sólo había para mí tres cosas reales: la inmensidad de la noche, del espacio y de la naturaleza –mi propia debilidad y angustia– y la inmediata proximidad de la muerte. Ahora me figuraba que algo había dado la vuelta, que el punto de vista se había trasladado bruscamente. Pasé de un estado de ánimo a otro sin transición sensible. Era de nuevo el mismo hombre de siempre, el pacífico ciudadano habitual. La pradera silenciosa, el móvil de mi fuga y los incendios repentinos se me antojaron cosa de sueño. Me preguntaba si tales cosas habían ocurrido realmente. Y no quería creerlo.

Me levanté y transpuse tambaleándome la empinada cuesta del puente. Estaba desconcertado, los músculos y los nervios desprovistos de su fuerza. Debía de tropezar como un borracho. Apareció una cabeza por encima del parapeto, y se adelantó un obrero con un canasto. A su lado corría un niño. Me dio al pasar las buenas noches. Quise hablarle y no lo hice. Respondí a su saludo con articulaciones sin sentido y atravesé el puente.

Un tren, largo gusano de ventanas brillantes, movedizo tumulto de humo blanco con reflejos de llamas, continuaba su camino hacia el Sur sobre el viaducto de Maybury: ruido, estruendo, estrépito, golpetazos... ¡y se fue! Un grupo indistinto de gentes conversaba junto a la barrera que abre paso a la avenida de chalés, antes llamada Terraza Oriental. ¡Era todo esto tan real, tan conocido...! ¡Y lo que dejaba a mis espaldas, tan delirante, tan fantástico! «Cosas tales –yo me decía– no pueden ocurrir».

Quizá soy persona de excepcional condición. No sé hasta qué punto experimentan los otros hombres lo que yo. A veces padezco extraños alejamientos de mí mismo y de lo que me rodea. Me parece que observo lo exterior desde parajes muy remotos, fuera del tiempo, del espacio, de la vida y de la tragedia de las cosas. Esta sensación me dominaba aquella noche con fuerza excepcional. He ahí otro aspecto de mi ensueño.

Lo que me inquietaba era el absurdo incongruente entre tal serenidad y la muerte rápida que revoloteaba cerca de mí, a tres kilómetros escasos. Llegó a mis oídos el ruido de las máquinas que trabajaban en la fábrica del gas. Todas las lámparas eléctricas estaban encendidas. Me detuve ante un grupo de personas.

–¿Qué noticias hay de la llanada? –pregunté.

Había en la barrera dos mujeres y un hombre.

–¿Qué? –dijo uno de los hombres dando media vuelta.

–¿Qué noticias hay de la llanada? –repetí.

–¿Pero no viene usted de allí? –preguntaron los hombres.

–Parece que las gentes pierden por allá el juicio –dijo la mujer, inclinándose por encima de la barrera–. ¿Qué les ocurre en la llanada?

–Pero ¿no saben ustedes nada de los hombres de Marte...? –les pregunté–. ¿De los seres caídos del planeta Marte?

–Ya estamos, basta, ¡muchas gracias! –repuso la mujer, y los tres se echaron a reír.

Me sentía ridículo y molesto. Traté de referirles lo que había visto y no pude. Se rieron nuevamente de mis palabras deshilachadas.

–¡Pronto sabrán ustedes más! –les dije reanudando mi camino.

Era mi aspecto tan desastroso, que mi mujer, al verme desde el umbral de la puerta, se echó a temblar. Entré en el comedor, me senté, bebí un poco de vino, le conté las cosas que había visto. La mesa estaba puesta, y la comida, comida de fiambres, quedó intacta mientras narré la historia.

–Hay una cosa que me tranquiliza –dije para reanimarla un poco–; son los seres más torpes que nadie ha visto arrastrarse en la tierra. Podrán defender el agujero y matar a cuantas personas se les acerquen, pero jamás saldrán de allí... ¡Pero qué horribles son!

–¡Cálmate, por Dios! –me dijo, frunciendo las cejas y colocando su mano en la mía.

–¡Pobre Ogilvy! –exclamé–. ¡Pensar que puede yacer allí!

Al menos mi mujer no juzgó increíble mi relato. Cuando advertí lo pálida que se había puesto, me callé.

–¡Pueden venir aquí! ¡Pueden venir aquí! –exclamaba mi esposa.

La hice beber vino y traté de tranquilizarla.

–¡Pero si casi no pueden menearse! –le dije.

Logré reanimarla un poco, y me reanimé yo mismo, repitiendo cuanto me había dicho Ogilvy sobre la imposibilidad de que los marcianos se establecieran en la Tierra. Insistí sobre todo en las dificultades procedentes de la diferencia de gravedad. En la superficie de la Tierra todo peso es triple que en Marte. Luego a cada marciano le pesa su propio cuerpo, aunque conserve la misma fuerza muscular, tres veces más que en Marte, y todos sus órganos y miembros han de parecerles losas de plomo. Ésta era sin duda la creencia general. Tanto *The Times* como el *Daily Telegraph,* entre otros periódicos, insistieron en este punto, olvidando, como yo, dos influencias evidentemente modificadoras.

Sabemos ahora que la atmósfera de la Tierra contiene mucho más oxígeno o mucho menos ázoe (poco importa una cosa u otra) que la de Marte. La vigorizadora influencia de este exceso de oxígeno contrabalancea en buena parte la mayor pesadez del cuerpo. Ignorábamos, además, que los conocimientos mecánicos de los marcianos los capacitaban para aumentar o disminuir a voluntad sus actividades musculares.

Pero entonces yo no pensaba en esas cosas, y mis razones iban todas contra las probabilidades de la invasión.

El vino y el alimento, la satisfacción de mi apetito y la necesidad de tranquilizar a mi mujer me devolvieron poco a poco el valor y la confianza.

–¡Han hecho una locura! –exclamé, con el vaso en la mano–. Son peligrosos porque el terror les quita el juicio. Acaso no esperaban encontrarse con seres vivos, mucho menos con seres inteligentes. Y, si van mal las cosas, con lanzar una granada al hoyo los mataríamos de una vez y a todos juntos.

La excitación intensa que me produjeron los sucesos debió de poner en estado de eretismo mis facultades perceptivas, porque aún ahora recuerdo con precisión fotográfica los detalles de aquella comida: el dulce y temeroso rostro de mi mujer, que me miraba a la luz de la pantalla rosa, la blanca mantelería, el servicio de plata y de cristal fino –porque en aquellos tiempos hasta los escritores filosóficos se permitían esos pequeños lujos–, y el purpúreo vino de mi vaso. De sobremesa combiné el aroma de un cigarro con el gusto de unas nueces, y hube de lamentar la imprudencia de Ogilvy y el miedo imprevisor de los marcianos.

Desde su nido, cualquier respetable avestruz de la isla Mauricio hubiera podido pensar como yo. Era, cual si a la llegada de un barco en busca de alimento animal, el avestruz exclamara:

«Mañana los mataremos a picotazos, hermosa mía».

Ésa fue, sin saberlo, la última comida civilizada que hice en aquellos días extraños y terribles.

8. La noche del viernes

De cuantos sucesos maravillosos y sorprendentes acaecieron aquel viernes, el que me pareció más extraordinario fue la combinación de las costumbres cotidianas y triviales de nuestro orden social con los comienzos de aquella serie de acontecimientos que iban a echar abajo ese mismo orden. Si con un compás de ocho kilómetros se hubiese descrito un círculo alrededor de las canteras de Woking, es dudoso que en la parte de fuera se hubiera hallado ser humano a cuyos hábitos y emociones afectaran en lo más mínimo los recién venidos, a menos de no tratarse de algún pariente de Stent o de los tres o cuatro ciclistas londinenses muertos en la pradera. Cierto que muchas personas habían oído hablar del cilindro y aun hablado acerca de él en sus ratos de ocio, pero sin aquella sensación profunda que hubiese originado la declaración de guerra al imperio alemán.

El telegrama de Henderson que anunciaba el gradual destornillamiento del cilindro se tomó en Londres por una fábula, y el periódico de la noche que lo había recibido, luego de pedir por telégrafo confirmación de la noticia, y de no obtener respuesta, decidió no tirar edición especial.

Aun dentro del círculo trazado con nuestro compás imaginario predominaba la indiferencia. Ya he descrito la conducta de los hombres y las mujeres a quienes me dirigí. Las gentes del distrito comían y cenaban; los obreros cultivaban su huerto una vez terminados sus quehaceres, se acostaba a los niños, las parejas jóvenes vagaban amorosamente por los caminos y los estudiantes consultaban sus libros.

Acaso había en las calles de la villa un rumor inacostumbrado, acaso no se hablaba en las tabernas sino de una cosa. Aquí y allá algún testigo de los últimos sucesos agitaba los ánimos y provocaba chillerías e idas y venidas; pero, generalmente, reinaba la diaria rutina: comer, beber, dormir, como si en los cielos no hubiera figurado nunca el planeta Marte. Aun en la estación de Woking, en Horsell y en Chobham ocurría lo propio.

Hasta muy tarde los trenes se paraban en el cruce de Woking, y echaban a andar o se guarecían en las vías laterales, y los pasajeros bajaban o esperaban, y todas las cosas ocurrían como siempre. Un chicuelo atentaba contra el monopolio de las librerías ferroviarias vendiendo en los andenes los periódicos con las noticias de la tarde. El estrépito de las plataformas y los silbidos de las locomotoras se mezclaban con los gritos de: «¡Los hombres de Marte!». A eso de las nueve llegaron a la estación noticias estupendas, sin causar más emoción en quienes las oían que la que habrían originado las palabras de un grupo de borrachos. Los viajeros que iban a Londres intentaban vislumbrar algo por las ventanillas de los coches y sólo veían que algunas pocas chispas brillaban trémulamente, danzaban en el aire y desaparecían en dirección de

Horsell, y que ascendía al cielo un resplandor rojizo y un débil rastro de humo.

Deducían que sólo se trataba del incendio de algunos matorrales. Sólo en los límites de la pradera podían advertirse síntomas de desorden. Ardían junto a Woking media docena de chalés. Se veía luz en todas las casas de la llanada pertenecientes a las jurisdicciones de Woking, Horsell y Chobham. Sus habitantes velaron hasta el alba.

En los puentes de Chobham y de Horsell la multitud aguardaba curiosa; iban y venían algunos individuos; pero en el grueso de los grupos no se notaba variación alguna. Según se supo después, una o dos almas aventureras avanzaron a favor de las tinieblas hasta acercarse cautelosamente a los marcianos. Pero no volvieron, porque de cuando en cuando un rayo luminoso, parecido a las proyecciones de los barcos de guerra, barría la llanada, y el Rayo Ardiente no tardaba en seguirle. Fuera de esto, toda la extensión de la pradera estaba silenciosa y desolada, y los cuerpos carbonizados se quedaron allí toda la noche y todo el día siguiente.

Así andaban las cosas en la noche del viernes. En el centro, horadando la piel de nuestro viejo planeta, como flecha envenenada, se hallaba el cilindro. Pero el veneno apenas comenzaba a hacer su obra. A su alrededor, la pradera estaba silenciosa. Ardían sin llamaradas algunos matorrales. Objetos sombríos, vagamente entrevistos, yacían acá y allá en actitudes contorsionadas. De trecho en trecho flameaba algún árbol. Más allá se extendía una frontera de actividad que aún no rebasaban los incendios. En el resto del mundo fluía la corriente de la vida como desde tiempos inmemorables. Aún se hallaba en estado latente la fiebre de la guerra, que obstruiría muy pronto venas y arterias, gastaría el sistema nervioso y destruiría los cerebros.

No dejaron en toda la noche de moverse los desvelados e infatigables marcianos. Toda la noche se oyeron sus martillazos sobre las máquinas que armaban. De tiempo en tiempo giraba en dirección al cielo estrellado un soplo de humo grisáceo.

A eso de las once una compañía de infantería atravesó Horsell para desplegarse en línea de cordón junto a la pradera. Más tarde llegó por Chobham otra compañía que ocupó el lado norte. Varios oficiales de los cuarteles de Inkerman habían inspeccionado la pradera durante el día, y faltaba uno de ellos, el comandante Eden. El coronel del regimiento se adelantó hasta el puente de Chobham e hizo a la multitud minuciosas preguntas. Las autoridades militares se daban perfecta cuenta de la seriedad del asunto. A esa hora salía de Aldershot un escuadrón de húsares, dos cañones Maxim y unos 400 hombres del regimiento de Cardigan. Así lo dijeron los periódicos del día siguiente.

Segundos después de la media noche la multitud que llenaba el camino de Chertsey a Woking vio caer una estrella en un pinar, hacia el Noroeste. Cayó acompañada de una luz verdosa y produjo un resplandor súbito parecido a un relámpago de noche de verano. Era el segundo cilindro.

9. Comienza la lucha

La jornada del sábado queda en mi memoria como un día de incertidumbre. Fue igualmente jornada de cansancio, cálida y asfixiante. Según me han dicho, fluctuó el barómetro con rapidez. Dormí poco, aunque mi esposa durmiera fácilmente, y me levanté de madrugada. Antes de almorzar bajé al jardín y me puse a escuchar. De la pradera sólo se oía el canto de la alondra.

Pasó el lechero como de costumbre. Sentí el ruido de su carricoche y me adelanté hasta la puerta del jardín para pedirle las últimas noticias. Me dijo que durante la noche las tropas habían puesto cerco a los marcianos y que se aguardaba a los cañones. Luego, como nota familiar y tranquilizadora, percibí el ruido de un tren que atravesaba Woking.

–Se tratará de no matarlos, si es posible –dijo el lechero.

Reparé en mi vecino, que trabajaba en su jardín, y charlé con él un rato antes de almorzar. Mi vecino opinaba que las tropas destruirían o capturarían a los marcianos durante la jornada.

–Es lástima –me dijo– que no permitan que las gentes se aproximen. Sería curioso saber cómo se vive en otro planeta; algo se aprendería.

Se acercó a la tapia y me ofreció un puñado de fresas, porque su generosidad igualaba el entusiasmo que sentía por su jardín. Me habló de los pinares incendiados en Byfleet.

–Dicen que ha caído allí otra de esas dichosas cosas, la número dos. Pero, ciertamente, ya tenemos bastante con una. Este asunto costará un buen pico a las compañías de seguros antes de que todo se arregle.

Se reía con el mejor humor.

–Todavía arden los bosques –me dijo señalándome una humareda–. Y habrá en la tierra brasas muchos días a causa de la espesura de las hierbas y las raíces de los pinos.

Y se puso más serio al hablar del «pobre Ogilvy».

Después de almorzar, en lugar de ponerme a escribir, decidí encaminarme a la pradera. Bajo el puente del ferrocarril tropecé con un grupo de soldados, zapadores, si no me engaño. Llevaban gorrillas redondas, cazadoras rojas, sucias y desabrochadas, dejando ver las camisas azules, pantalones oscuros y botas hasta la pantorrilla. Me dijeron que estaba prohibido franquear el canal, y vi, en efecto, que un soldado del regimiento de Cardigan hacía la guardia. Hablé un momento con los soldados. Les conté lo que la víspera había visto de los marcianos. Como ninguno de ellos los hubiera contemplado y no tenían de esos seres más que ideas muy vagas, no se cansaban de hacerme preguntas. Según me dijeron, no sabían quién había ordenado los movimientos de tropas. Suponían que hubiera estallado algún motín en el cuartel de la Guardia Montada. Como los zapadores de ingenieros suelen estar mucho mejor educados que los otros militares de tropa, discutían con alguna inteligencia las condiciones peculiares de la lucha posible. Les hice una descripción del Rayo Ardiente, y comenzaron a discutir sobre este punto.

–Hay que deslizarse a cubierto y caer sobre ellos de improviso –dijo uno.

–Cállate –dijo otro–. ¡A cubierto! ¿Y cómo se cubre uno de su Rayo Ardiente? La cubierta serviría de leña para asarnos. Lo que hay que hacer es acercarse todo lo que permita el terreno y levantar una trinchera.

–¡Valiente trinchera...! Siempre estás pidiendo trincheras. ¡Pareces un conejo más que un hombre!

–Pero ¿no tienen cuello? –me preguntó bruscamente un tercero, hombre bajo, moreno y callado, que estaba fumando en pipa.

Repetí la descripción.

–¡Pulpos, así los llamaría yo! –exclamó–. Dicen que los pulpos pescan hombres. Vamos a batirnos con peces.

–No es un crimen matar bestias de esa clase –observó el primero que había hablado.

–¿Y por qué no bombardearlos inmediatamente y acabar de una vez con esas porquerías? –dijo el moreno–. No se sabe lo que pueden hacer.

–¿Y dónde están las bombas? –preguntó el primero–. No hay tiempo que perder. Es preciso cargar sobre ellos ¡y en seguida! Ésta es mi opinión.

Así continuaron discutiendo. Los dejé después de un rato, y me dirigí a la estación para comprar cuantos periódicos de la mañana se pregonaran...

Pero no fatigaré al lector con la minuciosa descripción de aquella larga mañana y de aquella tarde todavía más larga. Ni siquiera pude echar un ojeada a la pradera, porque las autoridades militares se habían apoderado hasta de los campanarios de Horsell y de Chobham.

Nada sabían los soldados a que me dirigí; los oficiales, preocupados, se encerraban en el mayor misterio. Las gentes de la villa se mostraban tranquilas gracias a la presencia del ejército. Supe por primera vez de labios de Marshall, el estanquero, que su hijo era uno de los muertos en la llanada. Los soldados obligaban a los vecinos de los arrabales de Horsell a cerrar y a abandonar sus viviendas.

A eso de las dos me volví a casa para almorzar. Estaba muerto de fatiga. Era el día cálido y cargado. Me di un baño frío por la tarde para refrescarme la piel. Sobre las cuatro y media fui a la estación para comprar los periódicos de la tarde, porque los de la mañana solamente traían un relato no muy exacto de la muerte de Stent, Henderson, Ogilvy y compañeros.

Nada de cuanto decían me era desconocido. Los marcianos no se dejaban ver. Parecían muy ocupados en su hoyo, de donde salía ruido de martillazos y se elevaba casi continuamente un rastro de humo. A juzgar por las apariencias, se aprestaban a la lucha. «Nuevamente se ha intentado, sin lograrlo, entablar comunicación con los marcianos». Éste era el cliché de todos los periódicos. Esos intentos, según me dijo un zapador, los realizaba un hombre que desde un foso agitaba otra bandera en lo alto de una pértiga. Los marcianos hicieron tanto caso de estas señales como el que haríamos nosotros de los mugidos de un buey.

He de confesar que la presencia de todos estos armamentos y preparativos me agitaba grandemente. Mi fantasía se hizo beligerante y derrotó a los invasores de doce maneras diferentes, y todas notables. Renacieron en mi alma los sueños escolares de batallas y de heroísmo. No me parecía que el combate fuera a entablarse en condiciones de igualdad. Era indiscutible la impotencia de los marcianos encerrados en su agujero.

A eso de las tres se oyó un cañoneo lento en dirección a Chertsey o a Addlestone. Supe que se bombardeaba el pinar incendiado donde había caído el segundo cilindro, con la esperanza de destruirlo antes de que se abriese. Y, sin embargo, no llegó hasta las cinco a Chobham un cañón de montaña destinado a combatir la primera expedición de marcianos.

A eso de las seis tomaba el té con mi esposa en la glorieta del jardín, y discutía acaloradamente sobre el combate que nos amagaba, cuando nos llegó de la llanura el ruido de una detonación ensordecedora, al que siguió un acceso de explosiones. Oímos inmediatamente, y junto a nosotros, un estrépito violento y retumbante. Me precipité hacia el césped, y vi que las cimas de los árboles situados en torno del Colegio Oriental se envolvían de llamas rojas y de humo, mientras se desplomaba la torre de la iglesia. El pináculo había desaparecido, y todo el techo del colegio estaba como si sobre él hubiera estallado una bomba de cien toneladas. Crujió una de nuestras chimeneas, cual alcanzada por una granada; voló hecha astillas, y los fragmentos rodaron a lo largo de las tejas para caer al jardín y formar un montón de ladrillos rotos sobre el macizo de flores inmediato a la ventana de mi despacho.

Nos quedamos atónitos mi esposa y yo. Me di cuenta entonces, al ver que el colegio había sido eliminado del camino como obstáculo molesto, de que lo alto de la colina de Maybury estaba al alcance del Rayo Ardiente de los marcianos.

Cogí a mi mujer por el brazo y la conduje al camino sin andarme en cumplidos. Busqué a la criada, quien me reclamó el baúl a gritos, y le prometí llevárselo yo mismo.

–No podemos permanecer aquí –exclamé.

Mientras hablaba se reanudó el cañoneo en la pradera.

–¿Y adónde vamos? –preguntó mi mujer, aterrorizada.

Reflexioné, perplejo, acordándome de sus primos de Leatherhead.

–¡A Leatherhead! –exclamé al tiempo que un estruendo resonaba.

Se puso a mirar la parte baja de la colina. Las gentes salían de sus casas con aire de estupefacción.

–¿Pero cómo llegamos a Leatherhead? –me preguntó.

Al pie de la colina, bajo el puente del ferrocarril, galopaba un pelotón de húsares; tres entraron por las barreras abiertas del Colegio Oriental; otros dos desmontaron y comenzaron a correr de casa en casa. Brillaba el sol por encima del humo que ascendía de las copas de los árboles. Parecía de color rojo, color de sangre, e iluminaba las cosas con claridad extraña y lóbrega.

–Quédate aquí –le dije–, aquí estás segura.

Y eché a correr hacia la posada del Perro Atigrado, porque sabía que su dueño tenía un caballo y un carruaje de caza. Corrí con todas mis fuerzas, previendo que dentro de un instante todo el mundo de esta vertiente de la colina se pondría en movimiento. Encontré al posadero detrás del mostrador. Ignoraba en absoluto cuanto ocurría a espaldas de su casa. Le hablaba un hombre que se hallaba delante de mí.

–Le cuesta una libra –dijo el posadero– y no tengo quien lo conduzca.

–Le daré dos –respondí, adelantando la cabeza por encima del hombro del individuo que le hablaba.

–¿Cuánto...?

–... Y se lo devolveré antes de medianoche –recalqué.

–¡Dios mío! –exclamó el posadero–. ¿Qué urgencia tiene...? Me voy a enriquecer. ¿Dos libras y usted lo devuelve a casa? ¿Pero qué sucede?

Le expliqué rápidamente que necesitaba salir de Maybury, y aseguré de esta manera el alquiler del cochecillo. Al hacerlo no me parecía tan urgente que el posadero abandonase su domicilio. Me las arreglé para disponer inmediatamente del coche, salí en carruaje por el camino, y dejándolo en manos de mi mujer y de la criada, me lancé a la casa y empaqueté varios objetos de valor, la vajilla y algunas cosas más. Mientras hice esto ardieron las hayas de la carretera y lanzaban llamas rojas las empalizadas. Llegó entre tanto uno de los húsares. Corría de casa en casa, invitando a los vecinos a salir. Se marchaba cuando yo salía por la puerta principal con mis tesoros envueltos en un mantel, y le grité:

–¿Qué noticias hay?

Se volvió con los ojos muy abiertos, balbució algo así como «han salido del hoyo envueltos en una especie de caperuza de metal blanco», y se dirigió corriendo a la barrera de la casa situada en lo más alto de la colina. Durante un momento le ocultó de mi vista un rápido torbellino de humo que recorría el camino. Sin perder segundo llamé al vecino, para tranquilidad de mi conciencia, aunque sabía que él y su mujer se habían ido a Londres y cerrado la casa. Entré de nuevo para cumplir lo prometido a la criada, saqué el baúl y lo coloqué a su lado en la trasera del coche. Empuñé las riendas y salté al pescante, junto a mi mujer. En un instante nos alejamos del humo y del ruido y traspusimos velozmente la otra pendiente de Maybury, hacia la parte vieja de Woking.

Ante nosotros se extendía un paisaje tranquilo, soleado: campos de trigo a los dos lados del camino y la posada de Maybury con su rótulo oscilante. Vi frente a nosotros el carruaje del médico. Al pie de la colina volví la cabeza para mirar lo que quedaba a nuestra espalda. Espesas nubes de humo negro, entrecortadas por hilos de roja llama, se elevaban en el aire tranquilo, proyectando densas sombras sobre las verdes copas de los árboles. Ya el humo se extendía enormemente de Este a Oeste, desde los pinos de Byfleet hasta Woking. La carretera estaba sembrada de gentes que corrían hacia nosotros. Y mucho más débiles, pero siempre sensibles a la atmósfera cálida y tranquila, se escuchaban las descargas intermitentes de la fusilería y el lejano zumbido de un cañón, que cesó de retumbar de improviso. Por lo visto los marcianos incendiaban cuanto estaba al alcance de su Rayo Ardiente.

Como no sé guiar bien tuve que atender únicamente al caballo. Cuando volví a mirar atrás, la segunda colina ocultaba por completo el humo negro. Arreé la caballería de un latigazo y aflojé las riendas hasta poner entre nosotros y aquel tumulto estremecedor las villas de Woking y de Send. Entre estas dos localidades alcancé y dejé atrás el carruaje del médico.

10. En el ataque

Leatherhead dista de Maybury unos veinte kilómetros. Un olor de heno aromaba el aire a lo largo de las praderas lujuriantes de Pyrford. Alegraban las cercas de cada lado multitud de florecidos rosales silvestres. El sordo cañoneo que estallara cuando bajábamos el camino de Maybury cesó tan bruscamente como había empezado. Era un crepúsculo silencioso y tranquilo. Sin otra novedad, llegamos a Leatherhead a eso de las nueve, y el caballo descansó una hora mientras cenamos con los primos y encomendaba a mi mujer a sus cuidados.

Durante el viaje no me había hablado una palabra. Parecía que la atormentaban malos presentimientos. Traté de tranquilizarla, recalcando la observación de que los marcianos estarían encerrados en su agujero por su propia pesadez, y que a lo sumo sólo lograrían arrastrarse algunos pasos; pero no me respondió sino con monosílabos. A no ser por lo prometido al posadero, me habría suplicado que aquella noche me quedara en Leatherhead. ¡Ojalá lo hubiera hecho! Recuerdo que su rostro estaba lívido cuando nos separamos.

Por mi parte, todo el día se me había pasado en febril excitación. Me corría por las venas algo parecido a la calentura belicosa que se apodera en ocasiones de una comunidad civilizada, y, en el fondo, no me pesaba volver a Maybury aquella noche. Hasta temía que las últimas descargas escuchadas significasen la exterminación de los invasores. No puedo expresar mejor mi estado de ánimo que diciendo que necesitaba presenciar su muerte.

Iban a dar las once cuando me puse en camino. La noche era tremendamente oscura; al salir de la antesala iluminada me pareció completamente negra; estaba el aire tan cálido y pesado como durante el día. En lo alto, las nubes se deslizaban velozmente, aunque ni el soplo más leve agitara los arbustos. El criado de mis primos encendió los dos faroles del carruaje. Por fortuna conocía yo el camino palmo a palmo. Mi mujer se quedó en pie, a la luz de la puerta, y me siguió con la mirada hasta verme instalado en el coche. Bruscamente se metió en la casa, dejando que sus primos, al despedirme, me hicieran presentes sus deseos de un regreso feliz.

Al principio me sentí deprimido con el contagio de los miedos de mi esposa, pero muy pronto volví a pensar en los marcianos. En aquel momento ignoraba por completo el resultado de la batalla de la noche; hasta ignoraba las circunstancias que habían precipitado el conflicto. Al atravesar Ockham (porque en vez de regresar por Send y por el Antiguo Woking lo hice por Ockham), vi en el límite del horizonte, hacia el Oeste, resplandores color de sangre que ascendían pausadamente al cielo a medida que me acercaba. Acumulábanse las nubes de la tempestad inminente, mezclándose a las masas de humo rojo y negruzco.

La calle Ripley estaba desierta y, salvo una o dos ventanas iluminadas, no daba la villa señal alguna de vida;

pero faltó poco para que atropellara a un grupo de personas que había en la esquina del camino de Pyrford que me daba la espalda. Como nada me dijeron hasta después de pasar, no supe si tenían noticias de lo que ocurriera al otro lado de la colina, ni sé si las casas por donde pasé estaban abandonadas, o si los vecinos dormían tranquilamente, o si, extenuados de fatiga, velaban los terrores de la noche.

De Ripley a Pyrford tuve que encajonarme por el valle de Wey y la cuesta me ocultaba los resplandores rojos. Al llegar a lo alto, pasada la iglesia de Pyrford, reaparecieron los reflejos. Los árboles temblaron; eran los primeros síntomas de la tormenta que me seguía. Escuché las campanadas de las doce, que sonaron en la torre de Pyrford, y se me apareció la silueta de Maybury, negros los tejados y las copas de los árboles ante el cielo rojo.

Mientras contemplaba este espectáculo, un resplandor verde y siniestro iluminó el camino por delante de mí, dejando ver a lo lejos los bosques cercanos a Addlestone. El caballo sacudió las riendas. Una cinta de fuego verde horadó, por decirlo así, las movedizas nubes, iluminó por un momento su danza confusa y vino a caer a mi izquierda, en el campo. ¡Era el tercer cilindro!

Inmediatamente vibró en los aires el primer relámpago de la tormenta –su color era violáceo por contraste– y el trueno retumbó en mis oídos como bomba que estallara sobre mi cabeza. El caballo mordió el freno y se desbocó.

Se baja de la colina de Maybury por una pendiente suave. Nosotros la franqueamos con vertiginosa velocidad. Una vez aparecidos los primeros relámpagos, éstos se sucedieron con rapidez inconcebible. Los truenos se atropellaban uno a otro con estruendos inauditos, que más parecían el ruido de una gigantesca máquina eléctrica que las usuales detonaciones de las tormentas. Los rayos innumerables me cegaban y el granizo me lastimaba el rostro.

Al principio no veía más que el camino por delante de mí; pero de pronto acaparó mi atención algo que bajaba rápidamente por la pendiente opuesta. Me pareció ver al principio el tejado húmedo de una casa, pero sucesivos relámpagos me permitieron cerciorarme de que la cosa giraba con rapidez. Debí de sufrir alguna ilusión óptica; se sucedieron tinieblas impenetrables a relámpagos luminosos como el día. Vi la rojiza masa del asilo de huérfanos junto a la cumbre de la colina y las verdes copas de los pinos... y aquel objeto dudoso se me apareció claro, preciso, brillante.

¡Y qué objeto...! ¿Cómo describirlo? Un trípode monstruoso, más alto que varias casas, daba zancadas sobre los pinos jóvenes, aplastándolos en su carrera; un aparato móvil, de metal bruñido, avanzaba a través de la maleza; colgaban de sus flancos articulados cables de acero, y el ensordecedor estruendo de su paso se mezclaba al tumulto de los truenos. A la luz de un relámpago se destacó netamente con un pie en el suelo y los otros dos en el aire. Desaparecía y reaparecía instantáneamente. Al otro relámpago le vi a cien metros más cerca de mí. ¿Imaginan ustedes un taburete de tres patas que gira sobre sí mismo y salta con violencia sobre la tierra? Ésa es la impresión que recibí al resplandor de los relámpagos incesantes. Pero en lugar de un taburete imagínese un gran cuerpo mecánico sostenido en un trípode.

De pronto los abetos del bosquecillo que estaba junto a mí se apartaron a su paso como frágiles rosales ante un hombre que se abre camino. Fueron arrancados en seco y derribados y apareció un segundo gigantesco trípode que se precipitaba derecho contra mí. ¡Y el caballo galopaba a su encuentro! Al ver a este monstruo perdí completamente la cabeza. Al punto, sin pensarlo dos veces, tiré violentamente de las riendas para dar vuelta a la derecha, e inmediatamente volcó el coche sobre el caballo, se rompieron las lanzas con estrépito y caí pesadamente en una cuneta llena de agua.

Me zafé en seguida para esconderme entre unos cuantos tojos, con los pies todavía en el agua. El caballo yacía inmóvil, roto el cuello, ¡pobre animal!, y a cada relámpago contemplé la masa negra del coche volcado, cuyas ruedas aún giraban lentamente. Al momento pasó el enorme mecanismo a mi lado, dando grandes zancadas y subiendo la cuesta de Pyrford.

Vista de cerca, la cosa era incomparablemente extraña, porque no se trataba de una máquina que hiciera su camino de forma insensata. Era, sin embargo, una máquina, de paso mecánico y de metálico ruido, con largos tentáculos flexibles y brillantes que se balanceaban ruidosamente alrededor de su cuerpo extraño. Uno de sus tentáculos enarbolaba un pino. Al avanzar, la máquina iba escogiendo su camino. La caperuza de bronce que la coronaba en lo alto se movía en todas direcciones, produciendo la sensación de una cabeza giratoria mirando a su alrededor. Detrás de la masa principal había una cosa enorme de metal blanquecino, parecida a una gigantesca canasta de pescador. Al pasar junto a mí se escapaban bocanadas de humo de entre los intersticios de sus miembros. A las pocas zancadas estaba ya muy lejos.

Es todo lo que vagamente vi entonces, a la luz de los relámpagos y entre los intervalos consecutivos de claridad intensa y de tinieblas impenetrables.

Al pasar por mi lado lanzó el monstruo una especie de alarido tan violento y ensordecedor que se oyó por encima de los truenos:

–*¡Alú! ¡Alú!*

Alcanzó en un instante a su compañero, que se hallaba a media milla de allí, y ambos se inclinaron hacia una cosa que había en un campo. Estoy seguro de que el objeto de su atención era el tercero de los diez cilindros que nos enviaban de su planeta.

Durante algunos minutos permanecí en aquella oscuridad, aguantando la lluvia y espiando a la intermitente luz de los relámpagos a esos monstruosos seres de metal, que se movían a lo lejos por encima de las hayas. Comenzó a granizar, y según que la granizada era más o menos espesa, sus formas se esfumaban o se volvían a precisar. De cuando en cuando cesaban los relámpagos y los sorbían las tinieblas.

Bien pronto me calaron hasta los huesos el granizo al deshacerse y el agua fangosa que me cubría los tobillos. Pasó algún tiempo antes de que mi penoso asombro me permitiera arrastrarme por el terraplén hasta piso algo más seco. Tampoco pensé en la inminencia del peligro.

No lejos de mí había una cabaña de madera en un campo sembrado de patatas. Conseguí levantarme, y luego, agachándome y ocultándome donde podía, me llegué a la cabaña. Llamé a la puerta, pero si alguien había no me oyó, y al cabo de un instante cambié de propósito, eché a andar por un foso, y logré llegar, medio arrastrándome y sin ser visto por las monstruosas máquinas, al bosque de abetos.

Ya al abrigo, pero mojándome y estremeciéndome, continué mi camino hacia casa. Avanzaba entre los troncos, tratando de encontrar un sendero. Estaba el bosque muy oscuro, porque eran menos frecuentes los relámpagos, y a veces caían grandes ráfagas de granizo por entre las ramas.

Si me hubiera dado entera cuenta de lo que significaban las cosas que había visto, habría tratado inmediatamente de encontrar mi camino por Byfleet hacia la calle Cobham, y por este rodeo me habría reunido con mi mujer en Leatherhead. Pero aquella noche lo extraño de las cosas que acaecían y mis padecimientos materiales me lo impidieron. Estaba rendido, abrumado, calado hasta los huesos y cegado y ensordecido por la tormenta.

Tenía el vago propósito de ir a casa, y esto fue bastante determinante. Tropecé contra los árboles, me caí en un hoyo, me lastimé la rodilla contra un tablón y por último me chapucé en el camino que baja a la academia militar; y digo chapucé, porque bajaban por él arroyos de agua que arrastraban la arena en torrente fangoso. Allí, en la oscuridad, chocó contra mí un hombre que me hizo dar algunos pasos atrás, tambaleándome.

Lanzó un grito de pánico, se echó a un lado de un brinco y prosiguió su carrera antes de que yo lograra coordinar ideas para interrogarle. Era tan grande la violencia del huracán en aquel punto, que me costó el mayor trabajo subir la colina. Por último, me resguardé contra la empalizada de la izquierda y pude continuar.

Cerca de lo alto tropecé con algo blando, y al resplandor de un relámpago pude ver un bulto de grueso paño negro y un par de botas. Antes de que lograra distinguir con claridad en qué posición yacía el hombre, se desvaneció la luz. Permanecí inmóvil en espera del relámpago siguiente. Cuando sobrevino pude ver que se trataba de un hombre corpulento, vestido sencilla, pero decentemente. La cabeza se le doblaba hacia el cuerpo, y éste estaba tan pegado a la empalizada como si lo hubieran arrojado violentamente contra ella.

Sobreponiéndome a la natural repugnancia que siente quien nunca había tocado un cadáver, me incliné y le di media vuelta para ver si le latía el corazón. Estaba bien muerto. Calculo que le habían roto el cuello. Al tercer relámpago le conseguí ver el rostro. Pegué un bote. Era el posadero del Perro Atigrado, a quien había yo privado de sus medios de fuga.

Pasé por encima de su cuerpo, cuidando de no pisarlo, y seguí mi camino por el puesto de policía y por la academia militar. Nada ardía en la colina, aunque desde la pradera se elevaban al cielo reflejos rojos y onduladas columnas de humo encarnado, que abatía el granizo.

En toda la extensión que me permitía alcanzar con la vista la claridad de los relámpagos, todas las casas estaban intactas. Cerca de la academia militar algo negro se amontonaba en el camino.

Cuesta abajo, hacia el puente de Maybury, se oían voces y ruido de pasos, pero no tuve el valor de llamar ni de acudir en socorro. Abrí la puerta de casa con la llave, la cerré con cerrojo, vacilé en la escalera y me senté. Me llenaban la mente aquellos monstruos metálicos de andar extraño y el recuerdo del cadáver aplastado contra la empalizada.

Me agaché al pie de la escalera, con la espalda apoyada en la pared y tiritando violentamente.

11. En la ventana

He dicho ya que mis emociones, cuando son muy violentas, se desvanecen por sí solas. Al cabo de un momento reparé en que tenía frío y en que estaba mojado. A mi alrededor se formaban pequeños charcos de agua en la alfombra de la escalera. Me levanté casi maquinalmente, entré en el comedor, bebí un trago de aguardiente y luego se me ocurrió mudarme de ropa.

Cuando lo hice subí al despacho sin saber a ciencia cierta para qué. Da la ventana a la pradera de Horsell por encima de los árboles y del ferrocarril. En nuestra marcha precipitada nos habíamos olvidado de cerrarla. El pasadizo estaba oscuro, y todo el cuarto, en contraste con el paisaje que encuadraba la ventana, me parecía impenetrablemente tenebroso. Me paré en el umbral.

La tormenta había cesado. Miré hacia el Colegio Oriental. Sus torres y los abetos que lo rodeaban habían desaparecido. A lo lejos, hacia las canteras de arena, se veía la llanura, iluminada por vivos resplandores rojos. Frente a estos resplandores se agitaban de aquí para allá enormes formas negras, extrañas y grotescas.

Parecía en verdad como si toda la comarca ardiera en aquella dirección. Alcanzaba mi vista un extenso flanco de colina, sembrado en todas direcciones de lenguas de fuego que agitaban y retorcían las ráfagas de la tormenta, que al apaciguarse proyectaba rojos reflejos en la fantástica carrera de las nubes. De tiempo en tiempo pasaba por la ventana una masa de humo, procedente de algún incendio próximo, y ocultaba las siluetas de los marcianos. No podía ver lo que estaban haciendo, ni sus claras formas, ni reconocer los objetos negros en que trabajaban con tanta actividad. Tampoco veía el próximo incendio, cuyos reflejos danzaban en las paredes y techo de mi cuarto. Acre olor a resina saturaba la atmósfera.

Cerré la puerta sin ruido y me acerqué a la ventana. Al avanzar se ensanchó el paisaje hasta alcanzar de un lado las casas próximas a la estación de Woking, y de otro, los pinares consumidos y carbonizados cerca de Byfleet. Había fuego al pie de la colina, sobre la vía del ferrocarril, cerca del puente. Varias casas que bordeaban el camino de Maybury y los de la estación no eran ya más que ruinas ardientes. Al principio me intrigaron las llamas del ferrocarril. Vi un montón de cosas negras, vivos resplandores, y a la derecha, una fila de formas oblongas. Advertí entonces que se trataba de los restos de un tren, cuyos primeros vagones eran pasto de las llamas, mientras los últimos estaban aún sobre los raíles.

Entre estos tres principales centros de luz, las casas, el tren y la comarca incendiada hacia Chobham, se extendían irregulares espacios de campo oscuro, iluminado débilmente aquí y allá por intervalos de tierra quemada y humeante. Era un espectáculo extraño el de aquella extensión negra, cortada por el fuego. Me recordaba, más que otra cosa, los hornos de las vidrierías vistos de noche.

De pronto no pude distinguir ningún ser viviente, aunque escudriñé con atención el paisaje. Luego vi, a la luz de la estación de Woking, cierto número de formas negras que atravesaban rápidamente la línea, unas detrás de otras.

¡Aquel caos ardiente era el pequeño mundo en que había vivido serenamente tantos años! Aún no sabía lo ocurrido durante las últimas siete horas, e ignoraba, aunque empezaba a comprender, la relación que había entre estos colosos mecánicos y los seres indolentes y macizos que vi emerger del cilindro. Estimulado por intensa curiosidad volví la butaca hacia la ventana y contemplé la comarca sombría, observando particularmente en las canteras las tres siluetas gigantescas que se agitaban en todos sentidos a la claridad de las llamas.

Parecían febrilmente atareadas. Comencé a preguntarme lo que podrían ser. ¿Se trataba de mecanismos inteligentes? Ya sabía que semejante cosa era imposible. ¿O bien se hallaba dentro de ellos un marciano para gobernarlos, dirigirlos y servirse de la maquinaria como el cerebro de un hombre se sirve de su cuerpo? Traté de comparar esas cosas a las máquinas humanas, y por primera vez en mi vida me pregunté qué idea se formaría un animal inferior de una locomotora o de un acorazado.

La tormenta había despejado el cielo, y por encima del humo del campo incendiado el minúsculo punto rojizo del planeta Marte descendía hacia el Poniente, cuando un soldado penetró en mi jardín. Oí un ligero ruido hacia la empalizada y, saliendo de la especie de letargo en que me había sumido, vislumbré vagamente que un hombre escalaba la cerca. A presencia de un ser humano se me pasó el sopor y me asomé con diligencia a la ventana.

–¿Quién va? –pregunté lo más bajo posible.

Se detuvo sorprendido. Estaba acaballado en la cerca. Se bajó y cruzó el césped. Caminaba agachado y sin hacer ruido.

–¿Quién está ahí? –me preguntó también en voz baja, mirando a lo alto desde el pie de la ventana.

–¿Dónde va usted? –le pregunté yo.

–¡Dios lo sabe!

–¿Trata usted de esconderse?

–¡Eso mismo!

–Entre en la casa entonces.

Bajé, abrí la puerta, le hice entrar y volví a cerrarla. No le podía ver la cara. Estaba sin quepis y con la camisa desabrochada.

–¡Dios mío! ¡Dios mío! –exclamaba al guiarle yo por el pasillo.

–¿Qué ha sucedido? –le pregunté.

–¿Y qué es lo que no ha sucedido? –respondió.

Pude ver, no obstante la oscuridad, que hizo un gesto de desesperación.

–Nos han barrido de un escobazo, nos han barrido –y repitió varias veces estas palabras.

Me siguió al comedor casi maquinalmente.

–Beba usted aguardiente –le dije llenándole un vaso.

Cuando se lo hubo bebido de un sorbo, se dejó caer bruscamente en una silla, se cogió la cabeza con las manos y se puso a sollozar y a llorar con emoción inconsolable, como un niño, mientras yo lo miraba curiosamente, olvidando mi propia desesperación.

Le costó largo tiempo recobrar la calma necesaria para responder a mis preguntas, y sólo me contestó con frases vagas y entrecortadas... Guiaba un cañón que no tomó parte en el combate hasta las siete de la tarde, cuando era más intenso el cañoneo en la llanura y se aseguraba que la primera expedición de marcianos se dirigía lentamente al segundo cilindro al abrigo de una cubierta de metal.

Esta cubierta se irguió luego en un trípode y se transformó en una de las máquinas de combate que había yo visto. El cañón que guiaba se colocó junto a Horsell, a fin de dominar las canteras de arena. Su llegada precipitó el encuentro. Al girar hacia retaguardia los artilleros del avantrén[1], metió su caballo el pie en un hoyo, resbaló y lanzó al jinete a una hondonada del terreno. Al mismo tiempo estallaba el cañón, saltaban las municiones, todo fueron llamas a su alrededor y se encontró debajo de un montón de soldados carbonizados y de caballos muertos.

–No me moví –decía– de miedo y de asombro, aunque me aplastaba el cuarto delantero de un caballo. Nos habían barrido de golpe. ¡Y qué olor, cielo santo...! ¡Qué olor a carne asada! Al caer del caballo se me lastimó de tal manera la espalda, que tuve que permanecer allí hasta que se me aliviaron los dolores. Un minuto antes aquello parecía una gran parada; después... ¡golpes, caídas, centellas, explosión!

–¡Barridos de un golpe! –repetía.

Largo rato estuvo escondido bajo el caballo muerto, tratando de escudriñar furtivamente lo que ocurría en la pradera. El regimiento de Cardigan intentó asaltar el agujero en línea de guerrilla; fue suprimido en menos de un segundo. Y entonces se levantó el monstruo en su trípode con su caperuza giratoria semejante a una cabeza encapuchada y se puso a ir y venir tranquilamente por la pradera entre los escasos fugitivos que escaparon a la muerte. De una especie de brazo le colgaba, medio envuelta

1. Juego delantero de los carruajes de artillería.

entre llamas verdosas, una complicada caja metálica con un embudo del que brotaba el Rayo Ardiente.

Pocos minutos bastaron para que no quedara ser viviente en toda la extensión de la llanura que alcanzaba a ver el artillero, y para que ardieran cuantos árboles y matas no habían sido previamente transformados en negros esqueletos. Como los húsares estaban tras una prominencia del terreno, no supo lo que les ocurría. Oyó algún tiempo los disparos de los cañones Maxim, y cesaron de retumbar. Hasta última hora perdonó el gigante la estación de Woking y las casas que la rodeaban, pero lanzó en esa dirección el Rayo Ardiente, y todo se convirtió de súbito en montón de incendiados escombros. Al cabo apagó el Rayo Ardiente, volvió la espalda al artillero y se encaminó hacia el pinar ardiente que contenía el segundo cilindro. Al alejarse surgió del agujero otro Titán[2] resplandeciente, armado ya en su trípode.

Siguió el segundo monstruo al primero, logró el soldado desasirse y se arrastró cautelosamente hacia Horsell por entre los matorrales incendiados. Se las arregló para llegar con vida al foso que bordea el camino y consiguió de esta manera entrar en Woking. Ya las palabras se le entrecortaban como en una letanía. Le fue imposible seguir caminando. Le pareció que no quedaban vivas sino muy pocas gentes, y éstas, enloquecidas en su mayoría y cubiertas de quemaduras. El incendio le hizo dar un rodeo y se ocultó entre los escombros de una pared calcinada al advertir que regresaba uno de los marcianos. Lo vio perseguir a un hombre, agarrarlo con uno de sus tentáculos de acero y estrellarle los sesos contra el tronco de un pino.

2. Wells compara al monstruo marciano con los Titanes, los hijos de Urano y Gea en la mitología griega, notables por su fuerza y poder.

Y, al fin, al caer la noche se atrevió el artillero a correr y pudo llegar al terraplén de la estación.

Avanzó furtivamente por la vía en dirección a Maybury, esperando que el peligro se alejara al aproximarse a Londres. Había muchas gentes escondidas en los hoyos y en las excavaciones, aunque la mayoría de los supervivientes se refugiaron en Woking y en Send. La sed lo devoraba; al fin, junto al puente, halló una cañería rota de donde el agua brotaba espumosa como de un manantial.

He aquí lo que pude sacar de su relato, fragmento a fragmento. Poco a poco se fue calmando al contarme estas cosas e intentar describirme fielmente los espectáculos que había presenciado. Como me dijo al principio que no había comido desde el mediodía, me fui a la despensa y encontré un poco de pan y un trozo de cordero, que puse sobre la mesa del comedor. Temerosos de llamar la atención de los marcianos no encendimos el quinqué y nuestras manos se movían a tientas para encontrar la carne y el pan. A medida que me hablaba comenzaron los objetos a dibujarse oscuramente en las tinieblas y pude columbrar los arbustos y rosales destrozados allende la ventana. Era como si un grupo de hombres o de animales hubiera saqueado el jardín. Empecé a ver la cara de mi hombre, ennegrecida y macilenta, como debía de estar la mía.

Cuando acabamos de comer subimos al despacho sin hacer ruido y observé nuevamente por la ventana abierta lo que ocurría en la llanura. En una sola noche todo el valle se había transformado en inmensa extensión de ceniza. Amenguaban los incendios, veíanse en vez de llamas rastros de humo, pero los escombros innumerables de las casas, demolidas y descalabradas, y los árboles, derribados y renegridos, que ocultaran las tinieblas de la noche se destacaban ya, desnudos y terribles, a la luz despiadada de la aurora. Algún objeto, sin embargo, había tenido la suerte de escapar: aquí una señal blanca en la vía férrea; allá un pedazo de invernadero, claro y alegre en medio de las ruinas. Jamás la historia de la guerra ha dado cuenta de otra destrucción tan insensata y general. Y a la creciente claridad del alba resplandecían alrededor de su agujero tres gigantes metálicos, con sus capuchones giratorios, que parecían vigilar la desolación de su propia obra.

Me pareció que el agujero había sido agrandado y que de él se elevaban bocanadas de un vapor verde tierno, bocanadas que subían hacia las claridades de la aurora, giraban en torbellino, se desplegaban y desaparecían.

Más allá, junto a Chobham, se alzaban columnas de llamas. A la primera luz del día se trocaron en espirales de humo rojizo.

12. Lo que vi de la destrucción de Weybridge y de Shepperton

Cuando se hizo de día claro nos retiramos de la ventana desde donde examinábamos a los marcianos y bajamos calladamente la escalera.

Convine con el soldado en que no era la casa paraje seguro. Según me dijo, se proponía ir a Londres para reunirse con su batería, la número 12 de artillería rodada. Mi plan consistía en volverme a Leatherhead sin pérdida de tiempo. El poder de los marcianos me impresionó tan profundamente, que estaba resuelto a llevarme a mi mujer a Newhaven y embarcarnos de seguida para el continente, porque preveía claramente que los alrededores de Londres iban a ser forzosamente testigos de una lucha desastrosa antes de que se consiguiera destruir semejantes criaturas.

Pero entre nosotros y Leatherhead mediaba el tercer cilindro con sus guardianes gigantescos. De haber estado solo, creo que me habría aventurado a pasar, pero me disuadió el artillero.

–Cuando la mujer es buena, no hay motivo para dejarla viuda –me dijo; y al fin acordamos salir juntos, al abrigo de los bosques, y remontarnos al Norte hasta la calle Cobham antes de separarnos. De allí daría un gran rodeo por Epsom para llegar a Leatherhead.

Yo hubiera salido de casa al momento; pero, como mi compañero había estado en la guerra, sabía más que yo. Me hizo recorrer toda la casa hasta encontrar un frasco, que llenó de aguardiente; arrambló con cuantos paquetes de galletas y trozos de carne le cupieron en los bolsillos. Nos deslizamos hacia fuera de casa, y corrimos con todas nuestras fuerzas por el mismo camino destartalado que franqueé la noche anterior. Las casas parecían abandonadas. Encontramos un grupo de tres cadáveres abrazados, víctimas del Rayo Ardiente, y vimos aquí y allá objetos caídos: un reloj, una zapatilla, una cuchara de plata y otras joyas por el estilo de poco valor. En la esquina, según se va al correo, estaba volcado sobre las ruedas un cochecillo sin enganchar, lleno de maletas y muebles. Entre los escombros se destacaba una caja de caudales con la tapa forzada.

Por aquella parte ninguna de las casas había sufrido grandes daños, fuera del asilo de huérfanos, que aún estaba ardiendo. El Rayo Ardiente se contentó con demoler las chimeneas al pasar. Y, con todo, no parecía haber alma viviente en todo Maybury. Supongo que la mayor parte de los habitantes habrían huido por el camino del Antiguo Woking –el que yo tomé para ir a Leatherhead– o estaban escondidos.

Bajamos la cuesta, encontrando de nuevo el cadáver del hombre vestido de negro, mojado ahora con el granizo de la noche precedente, y nos metimos en los bosques al pie de la colina. Así llegamos al ferrocarril, sin encontrar persona alguna. Allende la vía, los bosques eran despojos consumidos y negruzcos. Habían caído la mayor parte de los árboles; los contados que quedaban en pie lucían troncos grises y desolados y follaje enrojecido en vez de los verdores de la víspera.

Junto a nosotros el fuego se había limitado a chamuscar los árboles cercanos, sin quemarlos de abajo arriba. En un paraje se conocía que los leñadores trabajaron el sábado. Había en un claro árboles caídos y cortados recientemente y trozos de una sierra junto a una máquina de serrar abandonada. Todo estaba tranquilo; no se percibía ni el más leve soplo de aire; hasta los pájaros callaban. El artillero y yo hablábamos en voz baja al huir, lanzando de cuando en cuando furtivas miradas por encima del hombro. Nos detuvimos una o dos veces para escuchar.

Al cabo de cierto tiempo ganamos la carretera y oímos cierto ruido de cascos. A través de los árboles avanzaban lentamente tres jinetes en dirección a Woking. Los llamamos e hicieron alto, en tanto corríamos para alcanzarlos. Eran un teniente y dos soldados del octavo de húsares y llevaban un instrumento parecido a un teodolito, que me dijo el artillero era un heliógrafo.

–Sois los primeros hombres que he encontrado esta mañana en el camino –me dijo el teniente–. ¿Qué se prepara por ahí?

En su rostro y en su voz se revelaba la angustia. Sus hombres nos contemplaban con curiosidad. El artillero saltó al camino y saludó militarmente.

–Anoche nos destruyeron el cañón, mi teniente. Me he escondido. Ahora trato de unirme a mi batería. Siguiendo este camino supongo que verá a los marcianos de aquí a media milla.

–¿Y a qué demonio se parecen? –preguntó el teniente.

–Son armaduras gigantescas; cuarenta metros de alto; tres pies y un cuerpo como de aluminio; una cabeza espantosa metida en un capuchón.

–¡Quite usted! –repuso el oficial–. ¡Valiente tontería!

–Ya verá, señor. Llevan una especie de caja que dispara fuego y le deja a uno muerto.

–¿Usted querrá decir algún cañón?

–No, señor –y el artillero trató de hacer una pintoresca descripción del Rayo Ardiente. A la mitad de su relato le interrumpió el oficial y se puso a mirarme. Yo seguía en el terraplén que bordea la carretera.

–¿Los ha visto usted? –me preguntó.

–Es verdad lo que dice el artillero –respondí.

–Está bien –repuso el teniente–. Tengo el deber de enterarme por mí mismo. Oiga –dijo al artillero–, se nos ha destacado para hacer que los vecinos salgan de sus casas. Mejor haría usted en avistarse con el general de brigada Marvin para decirle todo lo que sabe. Está en Weybridge. ¿Conoce usted el camino?

–Lo conozco –respondí, y el teniente volvió el caballo en dirección contraria a la nuestra.

–¿A media milla dice usted? –me preguntó.

–Media milla a lo sumo –contesté, señalando hacia el Sur las cimas de los árboles. Me dio las gracias y echó a andar. No lo volvimos a ver.

Encontramos más adelante un grupo de tres mujeres y dos niños que sacaban de una casa de labranza, para amontonarlos en una carretilla, envoltorios y muebles miserables y sucios. Trabajaban con excesiva asiduidad para hablar con nosotros. Seguimos adelante.

Salimos del pinar cuando llegábamos a la estación de Byfleet. La comarca, pacífica y tranquila, resplandecía al sol de la mañana. Estábamos fuera del alcance del Rayo Ardiente, y a no ser por el abandono silencioso de algunas casas, por la agitación con que en otras se empaquetaba la ropa y la vajilla y por las tropas que desde el puente contemplaban fijamente la vía en dirección a Woking, la mañana se habría asemejado a la de cualquier otro domingo.

Por el camino de Addlestone crujían varios carros y carretas. Vimos de pronto por entre una barrera seis grandes cañones de treinta centímetros, alineados primorosamente a distancias iguales en el despliegue de un prado y con las bocas dirigidas hacia Woking. Junto a los cañones estaban en pie los artilleros, y detrás, a la distancia reglamentaria, los carros de municiones. La tropa se conducía como en una revista.

–¡Esto va bien! –exclamó–. Suceda lo que quiera, se los recibirá cumplidamente.

El artillero vaciló ante la barrera.

–Seguiré adelante –dijo.

Cerca del puente de Weybridge había un buen golpe de soldados, en traje de faena, que levantaban terraplenes para proteger otros cañones.

–¡Arcos y flechas contra la tempestad! –exclamó el artillero–. ¡Aún no han visto a ese condenado!

Los oficiales que no estaban en aquel momento de servicio miraban hacia el Sudoeste por encima de las copas de los árboles, y los soldados que trabajaban en la excavación se detenían a cada momento para tender la vista hacia ese lado.

Byfleet era presa de la mayor agitación. Los vecinos embalaban sus trebejos, espoleados por una veintena de húsares, unos a caballo y otros a pie. Ya se habían cargado tres o cuatro camiones del gobierno, un autobús viejo y varios otros vehículos. Muchas gentes, respetuosas con las tradiciones del domingo, vestían sus mejores trajes. Costaba gran esfuerzo a los soldados hacerlos comprender la gravedad de la situación. Vimos a un vejete que llevaba una maleta enorme y veinte o más tiestos de orquídeas, y reprochaba violentamente al cabo porque éste no quería encargarse de las flores. Me detuve y lo agarré del brazo.

–¿Sabe usted lo que viene por ahí? –le dije, señalándole los pinos que ocultaban a los marcianos.

–¿Qué? –repuso, dando media vuelta–. Le decía que estas plantas valen mucho.

–¡La muerte! –le grité–. ¡La muerte viene! ¡La muerte!

Y dejándole digerir la frase, si podía, eché a correr para alcanzar al artillero. Al llegar a la esquina volví la cabeza. El cabo le había dejado plantado, y el hombre, sin abandonar sus orquídeas ni su maleta, miraba vagamente las copas de los pinos.

Nadie supo decirnos en Weybridge dónde estaba el cuartel general; reinaba tal confusión en el lugar como nunca había yo visto en ciudad alguna: carros y carretas dondequiera, la mezcla más asombrosa de caballos y de medios de transporte. Los respetables vecinos de la villa empaquetaban a toda prisa sus trastos. Vestían las mujeres sus ropas del domingo, y muchos hombres los trajes de remar o de jugar a la pelota. Ayudábanlos los golfos de los alrededores, gritaban los chicos... y todos parecían encantados de la variación que tomaban improvisadamente sus diversiones dominicales. En medio de todo esto, el digno párroco celebraba los servicios de la mañana y se oía la discordante campana de su iglesia por encima del bullicio general.

Nos sentamos en las gradas de la fuente el artillero y yo, y almorzamos bastante bien con los víveres que habíamos traído de casa. Patrullas de soldados –ya no sólo húsares, sino granaderos de uniforme blanco– prevenían a los vecinos de que debían marcharse o esconderse en la cuevas de sus casas tan pronto como el fuego comenzara. Al cruzar el puente de la vía férrea vimos que una creciente multitud llenaba la estación y sus alrededores; había en los andenes un enjambre de cajas y baúles. Me figuré que estaba suspendido el tráfico ordinario, para que pudieran ir a Chertsey los cañones y las tropas, y después supe que la multitud luchó salvajemente para ocupar asientos en los trenes especiales que salieron a última hora.

Nos quedamos en Weybridge hasta el mediodía, y poco más tarde nos encontramos en el punto próximo a la presa de Shepperton, donde el Wey desemboca en el Támesis. Empleamos algún tiempo en ayudar a dos viejas a cargar un cochecillo. El Wey tiene tres bocas. En ese punto se alquilaban botes y había un pontón para atravesar el río. Del lado de Shepperton se encuentra una posada detrás de un campo y más allá se elevaba entre los árboles la torre de la iglesia, que posteriormente ha sido reemplazada por un sencillo campanario.

Corría por allí, sobreexcitada y bulliciosa, una muchedumbre de fugitivos, y aunque la fuga no se había convertido aún en pánico, reuníase ya mucha más gente de la que los botes pudiera llevar de un lado a otro. Algunos hombres, portadores de enormes pesos, jadeaban de fatiga; un hombre y su mujer llevaban entre los dos, sobre una puerta, a modo de parihuela, cuantos efectos consiguieron cargar. Uno nos confió el secreto de que pensaba ponerse a salvo tomando el tren en la estación de Shepperton.

Se gritaba por todos lados, alguno decía chirigotas. Aquella gente parecía pensar que los marcianos eran sencillamente formidables seres humanos, que atacarían y saquearían la villa, pero que serían al fin destruidos fatalmente. A cada momento miraba nerviosamente por encima del Wey hacia los prados de Chertsey, pero todo aún seguía en calma.

Todo estaba igualmente tranquilo del otro lado del Támesis, contrastando con la orilla de Surrey, presa de gran agitación. Las gentes que desembarcaban se ponían a andar por el camino. El enorme pontón acababa de atravesar el río por vez primera. Tres o cuatro soldados, en lugar de brindarles su ayuda, se burlaban de los fugitivos desde el prado de la posada, que no estaba abierta, porque era una de las horas del descanso dominical.

–Pero ¿qué es esto? –exclamó un botero.

–¡Calla, animal! –dijo un hombre a un perro que ladraba.

Y en esto se oyó de nuevo, pero ahora procedente de Chertsey, un ruido sordo, el ruido de un cañonazo.

Comenzaba la lucha. Casi al punto comenzaron a disparar regularmente sus cañones, uno tras otro, algunas baterías situadas allende el río, a mano derecha, ocultas entre los árboles. Lanzó un grito una mujer. A todos nos sacudió la emoción repentina de la batalla, tan próxima como invisible. Sólo se veían vastos prados en que pacían indiferentemente algunas vacas entre argentados álamos de follaje inmóvil bajo el cálido sol.

–Los soldados los detendrán –me dijo una mujer en tono no muy seguro.

Las cimas de los árboles se cubrieron de bruma... Y vimos de pronto una enorme humareda a lo lejos del río, humareda que subió a los aires y cubrió el cielo... Y se estremeció la tierra, y retumbó en la atmósfera horrorosa explosión que rompió los cristales de las casas próximas y nos dejó sumidos en la mayor atonía.

–¡Allí están! –gritó un hombre con camiseta azul–. ¡Más lejos! ¿Los ven ustedes? ¡Más lejos!

Rápidamente aparecieron uno, dos, tres, cuatro marcianos con sus armaduras. Estaban aún muy lejos, más allá de los árboles bajos en los prados que se extienden hacia Chertsey, y se encaminaban rápidamente al río. Parecían al principio pequeñas formas encapuchadas, que giraban al andar, pero avanzando tanto como los pájaros en su vuelo.

En seguida apareció el quinto, que se adelantó oblicuamente hacia nosotros. Las armaduras de sus cuerpos resplandecían al sol, y parecían aumentar de tamaño al acercarse a los cañones. El de la extrema izquierda, el más lejano, enarbolaba lo más alto que pudo una especie de estuche colosal... y en seguida el fantasmagórico y terrible Rayo Ardiente, que había yo ya visto la noche del viernes, brotó de pronto en dirección a Chertsey y atacó la villa.

A presencia de tan extrañas, veloces y formidables criaturas, la multitud que se apiñaba en las orillas pareció acometida de terror. No se oyó un grito, ni un ay; reinó el silencio; luego, ronco murmullo, empujones y el chasquido del agua. Un hombre que estaba excesivamente atemorizado para que se le ocurriera deshacerse del baúl que llevaba a cuestas se volvió y me dio un golpe con su carga. También una mujer me empujó con violencia al echar a correr. Yo me volví también en el arranque de la multitud, pero el terror no me impidió reflexionar. Pensé en el Rayo Ardiente. ¡Echarse al agua!... ¡Esto había que hacer!

–¡Dentro del agua! –grité sin ser oído.

Me volví de nuevo, y precipitándome en dirección del marciano que se acercaba a la orilla arenosa entré en el agua. Otros hicieron lo propio. Un bote lleno de gente estuvo a punto de irse a pique. Las piedras que yo pisaba eran fangosas y resbaladizas. Estaba tan bajo el nivel del río, que anduve más de cinco metros sin que el agua me llegara a la cintura. Al ver que el marciano no distaba ya más de doscientos metros, me sumergí del todo. Los chasquidos de las gentes al saltar al agua me resonaban como truenos. Muchas personas desembarcaban precipitadamente en las dos orillas.

Pero entonces la máquina del marciano se ocupaba tanto de las gentes que corrían de un lado para otro, como lo haría un hombre de la agitación de un hormiguero que hubiese destruido con el pie. Cuando medio asfixiado levanté la cabeza, la caperuza del marciano parecía examinar atentamente las baterías que disparaban por encima del río. Se adelantó dejando que se meciera por su peso lo que debía de ser el estuche generador del Rayo Ardiente.

Un momento después alcanzó la orilla, y de una zancada atravesó el río; las articulaciones de sus pies delanteros se doblaron al tocar la orilla opuesta; pero inmediatamente, al entrar en Shepperton, recobró toda su altura. En aquel momento dispararon a la vez los seis cañones que, ignorados de todos, se ocultaban al término de la villa. Las descargas me hicieron brincar el corazón. El monstruo levantaba la caja engendradora del Rayo Ardiente cuando estalló la primera granada a unos seis metros encima de su caperuza.

Lancé un grito de asombro. No vi ninguno de los otros cuatro monstruos marcianos, ni siquiera pensé en ellos; mi atención se concentraba en el más próximo incidente. Al mismo tiempo estallaron otras dos granadas en el aire, cerca del cuerpo, y al desviarse la cabeza del marciano no supo evitar y sí recibir el choque de la cuarta.

Reventó en plena faz del marciano, se abrió la caperuza, saltó despedazada y giraron en los aires unos doce fragmentos de roja carne y de metal resplandeciente.

–¡Tocado! –exclamé en un tono mezcla de aclamación y de quejido.

Me contestaron algunos gritos lanzados a mi alrededor por las gentes metidas en el río. De haberme dejado llevar por aquella exaltación momentánea, habría salido del agua.

El coloso decapitado se bamboleó como un gigante ebrio. Recobró milagrosamente el equilibrio, y ya sin cuidarse de dónde ponía los pies y con el Rayo Ardiente fijo en lo alto, cayó haciendo eses sobre Shepperton. Muerta la inteligencia viva, el marciano que moraba en la caperuza, y lanzados sus fragmentos a los cuatro vientos del espacio, la cosa no era ya sino un intrincado aparato de metal en camino de destrucción. Incapaz de guiarse, avanzó en línea recta, tropezó con la iglesia de Shepperton, la demolió con el choque de un ariete, se echó a un lado, giró sin tino y cayó en tremendo golpe sobre el río fuera del alcance de mi vista.

Violenta explosión sacudió el aire y saltó al cielo una tromba de agua, de vapor, de fango y de pedazos de metal. Al caer en el río la cámara del Rayo Ardiente, el agua se trasformó incontinente en vapor.

En seguida remontó la esquina del río una ola inmensa, una marea de fango en forma de proa, pero de fango casi en ebullición. Vi que las gentes se peleaban por ganar las orillas y oí sus gritos y quejidos entre el hervor y el estruendo que producía el marciano.

No me cuidé por el momento del calor y hasta me olvidé de la urgente necesidad de ponerme a salvo. Avancé por entre las aguas tumultuosas, echando a un lado a un hombre que vestía de negro, y llegué al brazo del río. Varios botes abandonados danzaban sobre la confusión de las aguas. El marciano caído se me apareció al fin. Su cuerpo, sumergido casi por entero, atravesaba el río de orilla a orilla.

Espesas nubes de vapor se escapaban del náufrago, y por entre los tumultuosos remolinos pude ver vaga e intermitentemente sus piernas gigantescas, que batían el agua y arrojaban al aire columnas de espuma y de agua fangosa. Los tentáculos manoteaban como brazos vivientes. Fuera de la irremediable inutilidad de tales movimientos, parecía que un cuerpo herido luchaba por la vida entre las aguas. La máquina arrojaba en bulliciosos chorros enormes cantidades de un líquido rosáceo y moreno.

En esto me zambullí de nuevo y nadé trabajosamente cuanto pude por debajo de la superficie, conteniendo la respiración hasta la agonía. El agua tumultuosa se calentaba de segundo en segundo.

Cuando levanté por un momento la cabeza para tomar aliento y sacudirme el agua y el cabello de los ojos, ascendía el vapor en blanco torbellino de niebla que me ocultó la presencia de los marcianos. Era el ruido ensordecedor. Los vi entonces, ¡colosales formas grises, engrandecidas por la niebla! Pasaron a mi lado. Dos se detuvieron junto a los restos estruendosos de su compañero.

El tercero y el cuarto se colocaron a sus dos lados, el uno a doscientos metros de mí, poco más o menos, y el otro en dirección a Laleham. Subieron los generadores del Rayo Ardiente, y los chorros silbantes caían por todos lados.

El aire estaba lleno de sonoridades; era un conflicto ensordecedor y confuso de ruidos; el estridente resonar de los marcianos, el crujido de las cosas al caer, el estrépito de los árboles, de las cercas y de las barracas al incendiarse y los bramidos y estallidos del fuego. Saltaba denso humo negro para mezclarse con el vapor del río, y al ir y venir el

Rayo Ardiente por Weybridge, su contacto se marcaba por llamaradas de un blanco incandescente, que al momento se convertían en la danza humeante de las lívidas llamas. Las casas más próximas permanecían intactas aguardando su destino; yo las veía en la sombra, pálidas, medrosas, delante de las llamas que iban y venían.

Permanecí un instante sumergido hasta el pecho en el agua casi hirviente sin saber lo que hacer, sin esperanzas de escapar. A través del vapor podía ver la gente que trepaba con pies y manos por entre las cañas para salir del río, como ranas que huyeran por la hierba de la presencia del hombre, o las miraba correr de un lado a otro por el camino de sirga, presas de indescriptible desesperación.

Y de pronto los lívidos resplandores del Rayo Ardiente saltaron hacia mí. Las casas se desplomaban como disueltas a su contacto, y lanzaban llamas; los árboles se convertían en fuego, dejando oír un bramido. Aleteó el Rayo Ardiente por el camino de sirga, acarició de paso a las gentes que corrían sin saber adónde, y bajó a la orilla a unos cincuenta metros de donde yo me hallaba. Atravesó el río para fijarse en Shepperton, marcando su huella en el agua con empenachado remolino de vapor. Volví la cara hacia la orilla.

Pero en aquel momento me alcanzó la ola enorme, casi hirviente... Pegué un grito, y escaldado, medio ciego, agonizante, eché a correr hacia la orilla por entre las aguas silbadoras y agitadas. De haber dado un paso en falso, me habría llegado el fin. Me encontré sin ayuda en la orilla, sobre la desnuda lengua de arena que marca la esquina entre el Wey y el Támesis. No esperaba más que la muerte.

Conservo el recuerdo vago de que un marciano plantó el pie a unos veinte metros de mi cabeza, de que ese pie se hundió en la suelta arena, arrojándola en todas direcciones, y de que se levantó de nuevo; de que a esto sucedió una larga pausa; de que cuatro marcianos acarrearon los restos de su compañero; de que clara y en seguida confusamente los vi retroceder una distancia que juzgué interminable a través de vastos espacios de agua y de campo... Y luego, poco a poco, me fui dando cuenta de que me había salvado de milagro.

13. De cómo encontré al vicario

Después de habernos dado los marcianos esta contundente lección sobre el poder de su armamento, se retiraron a su primera posición de la pradera de Horsell y, cargados con los restos de su compañero, debieron de perdonar, sin duda, en su carrera precipitada, a más de una víctima fortuita e inútil como yo.

Si hubieran abandonado a su compañero y seguido adelante, habrían llegado a Londres antes de que tuviera noticias de ellos la metrópoli, porque sólo se habían preparado en el camino algunos cañones de treinta centímetros. La llegada habría sido tan repentina, funesta y terrible como el temblor de tierra que destruyó Lisboa hará cosa de un siglo.

Pero no tenían prisa. Los cilindros se sucedían el uno al otro en su viaje interplanetario y cada veinticuatro horas les llegaban refuerzos. Entre tanto, las autoridades militares y marítimas, ya enteradas del tremendo poder de sus contrarios, trabajaban con furiosa energía. No pasaba minuto sin que un nuevo cañón se colocara en línea de combate, y antes de caer la noche no había cercado, ni arrabal en las colinas de Richmond y de Kingston que no escondiera alguna negra y amenazadora boca de fuego. Y hasta por la superficie carbonizada y desierta –unos treinta kilómetros cuadrados– que rodeaba el campamento de los marcianos en la llanura de Horsell, por las villas incendiadas y en ruinas, por los árboles aún verdes, por las negras y humeantes arcadas que eran la víspera bosquecillos de pinos, se aventuraban exploradores abnegados, llevando los heliógrafos para prevenir a los artilleros contra la aproximación de los marcianos. Pero éstos comprendían ya el alcance de nuestra artillería y el peligro de acercarse a los hombres, y no dejaban que nadie se aproximara a una milla de los cilindros, bajo pena de la vida.

Me figuro que los gigantes emplearon casi toda la tarde en andar de un lado a otro para transportar al agujero de Horsell cuanto contenían el segundo y el tercer cilindros caídos el uno en los prados de Addlestone y el otro en Pyrford. Junto al agujero de Horsell y por encima de la negra maleza y de los edificios incendiados hacía de centinela uno de ellos, mientras los otros abandonaron sus máquinas de combate para bajar al hoyo. Trabajaron de firme hasta muy entrada la noche y se veía la densa columna de humo verde que de allí se elevaba desde las colinas que rodean a Merrow, y aun me han dicho que desde Banstead y Epsom Downs.

Y mientras los marcianos se preparaban para salir de nuevo y la humanidad se apercibía al combate, eché a andar en dirección a Londres, con infinito cansancio y esfuerzo, por entre los incendios de Weybridge.

Vislumbré un bote vacío, minúsculo y lejano, arrastrado por la corriente y, despojándome de la mayor parte de mis casi cocidas ropas, lo seguí, lo alcancé y me pude escapar. No había remos en el bote, pero con toda la fuerza que quedaba en mis brazos escaldados logré guiarlo río abajo hasta Halliford y Walton, avanzando muy lentamente y mirando de continuo hacia atrás, con la inquietud que ustedes pueden figurarse. Seguí la corriente porque el río me brindaba una esperanza de salvación en caso de que volvieran los gigantes.

El agua calentada por la caída del marciano bajaba conmigo, formando una nube de vapor que me impedía ver las orillas. Una vez, sin embargo, columbré una hilera de sombras negras que huían de Weybridge a través de los prados. La villa de Halliford me pareció estar abandonada; ardían varias casas de las riberas. ¡Era extraño el espectáculo del lugar, tan silencioso y desolado bajo el ardiente cielo azul, al que ascendían, por la cálida atmósfera de la tarde, nubes de humo y lenguas de fuego! Hasta entonces no había presenciado nunca el incendio de una casa sin el molesto acompañamiento de una muchedumbre. Algo más allá se consumían y humeaban las cañas secas de la orilla. Una línea de fuego atravesaba campo adentro los montones de heno segado.

Largo tiempo me dejé arrastrar por la corriente, a pesar del calor que emanaba del agua, ¡tan abatido me habían puesto las emociones! Pero luego tuve miedo y volví a remar con las manos. El sol me pelaba la espalda desnuda. Al vislumbrar el puente de Walton pudieron más que mis temores la fiebre y la debilidad, eché pie a tierra en la orilla izquierda y me tendí, sin sentido, sobre las altas hierbas. Supongo que eran las cuatro o las cinco de la tarde. Me levanté en seguida, anduve cerca de un kilómetro sin encontrar a nadie, y me tumbé de nuevo a la sombra de un haya. Creo que pronuncié palabras incoherentes durante mis últimos esfuerzos. También tenía mucha sed y me reprochaba amargamente no haber bebido más agua y –fenómeno curioso– ¡me encolericé contra mi mujer, sin explicarme la causa! El deseo impotente de ir a Leatherhead me impacientaba sobre manera.

No recuerdo claramente la llegada del vicario; debió de ocurrir cuando yo estaba amodorrado. Al darme cuenta de su presencia, lo vi sentado, en mangas de camisa, lleno de hollín. Su afeitado rostro contemplaba fijamente una claridad tenue que bailaba entre las nubes parecidas a plumas matizadas ligeramente con los colores del crepúsculo.

Me levanté, y al ruido que hice me miró inmediatamente.

–¿Tiene usted agua? –le pregunté bruscamente.

Me hizo signo de que no con la cabeza.

–Hace una hora que está usted pidiendo agua –me dijo.

Callamos un momento, que invertimos en hacer nuestro mutuo inventario. Me atrevo a creer que debió de encontrar en mí una figura bastante rara, porque no llevaba más que pantalón y calcetines, tenía la piel roja y quemada y los hombros ennegrecidos por el humo. Por lo que a él atañe, su rostro denotaba gran simplicidad intelectual; le caía la cabellera en rizos encrespados y rubios, casi albinos, sobre la frente estrecha; eran sus ojos más bien grandes que pequeños, de un color azul pálido y de mirada inexpresiva. Se puso a hablar con frases entrecortadas y extraviados ojos.

–¿Qué significa esto? –dijo–. ¿Qué significan estas cosas?

Le miré con asombro, sin responderle.

Extendió la mano, delgada y pálida, y prosiguió con trágica voz:

–¿Por qué permiten tales cosas? ¿Cuáles son nuestros pecados?... El servicio de la mañana había terminado, y yo me paseaba para despejarme la cabeza, cuando de pronto ¡fuego, terremotos, muerte! ¡Como en Sodoma y en Gomorra! ¡Destruida toda nuestra obra, toda nuestra obra! ¿Quiénes son esos marcianos?

–¿Y quiénes somos nosotros? –le respondí, tosiendo para limpiarme la garganta.

Se asió de las rodillas y me miró de nuevo. Durante medio minuto me contempló sin decir nada.

–Me paseaba por la carretera para despejarme la cabeza, y de repente ¡fuego, terremotos, muerte! –repitió.

Volvió a callarse, con la cabeza baja. La barba casi le llegaba a las rodillas. Continuó pronto, agitando la mano.

–¡Destruida nuestra obra, las escuelas dominicales...! ¿Qué hemos hecho? ¿Qué pecados ha cometido Weybridge? ¡Todo se fue, todo destruido...! ¡La iglesia...! Sólo hace tres años que fue reedificada... ¡Destruida...! ¡Barrida como un harapo...! ¿Por qué?

Nueva pausa, que rompió como un loco.

–¡El humo de sus cenizas se alzará por los siglos de los siglos! –exclamó.

Sus ojos despedían llamas; su dedo índice apuntaba a Weybridge.

Pero yo empezaba a comprender con quién me las había. Se trataba evidentemente de un fugitivo de Weybridge, a quien el espectáculo de la espantosa tragedia le había trastornado el juicio.

–¿Estamos lejos de Sunbury? –le pregunté en tono natural.

–... ¿Y qué vamos a hacer? –preguntó–. ¿Hay marcianos en todas partes...? ¿Les ha encomendado el Señor el dominio de la Tierra?

–¿Estamos lejos de Sunbury? –repetí.

–... Cuando oficiaba esta mañana...

–Las cosas han cambiado –repliqué plácidamente–. No hay que perder la cabeza. Aún nos quedan esperanzas de...

–¿Esperanzas?

–Sí, esperanzas; a pesar de los pesares.

Comencé a explicarle lo que yo pensaba del asunto. Me escuchó al principio; pero a medida que le hablaba, el interés que leía en sus ojos se fue cambiando en el extravío de antes... y volvió la vista en otra dirección.

–¡Debe de ser el principio del fin –repuso interrumpiéndome–. ¡El fin...! ¡El grande y terrible día del Señor...! ¡Cuando los hombres pidan a las montañas y las rocas que caigan sobre ellos y los escondan, que los escondan de la mirada de Aquel que se sienta en el Trono!

Me di perfecta cuenta de la situación. Renuncié a los razonamientos serios, me puse en pie, e inclinándome posé la mano en su hombro.

–¡Sea usted hombre! –le dije–. ¡No pierda usted el juicio...! ¿Para qué sirve la religión sino para las grandes calamidades? Piense en los daños que han causado antes de ahora a los hombres terremotos e inundaciones, guerras y volcanes. ¿Por qué iba a exceptuar Dios a Weybridge...? No es agente de seguros.

Durante un rato se calló, asustado.

–¿Pero cómo escapar? –me preguntó de pronto–. ¡Son invulnerables y despiadados...!

–Ni una cosa, ni tal vez la otra –respondí–. Y cuanto más poderosos sean, más reflexivos y prudentes debemos ser nosotros. No hace más de tres horas que ha sido muerto uno de ellos.

–¡Muerto! –exclamó mirando vagamente a todos lados–. ¿Cómo pueden ser muertos los ministros de Dios?

–Yo lo he visto –repuse–. Hemos tenido que asistir a lo más duro de la pelea, y esto es todo.

–¿Qué claridad es ésa, la que baila en el cielo?

Le expliqué que era una señal del heliógrafo, la señal que ponía en los cielos el ingenio y la colaboración de los hombres.

–Aún estamos en lo más fuerte del combate –añadí–, aunque parezca todo estar tranquilo. Esa señal anuncia que la lucha se acerca. Más allá yo supongo que están los marcianos y hacia Londres, donde se elevan esas colinas de Richmond y de Kingston, se han hecho terraplenes y alineado baterías ocultas entre los árboles. Muy pronto volverán por acá los gigantes.

Cuando decía esto se levantó de un brinco y me impuso silencio con un gesto.

–¡Escuche! –me dijo.

Por encima de las bajas colinas que se elevaban del otro lado del río nos llegó el ruido ronco de los distantes cañones y de un grito lejano y prodigioso. Volvió a reinar en seguida el silencio. Un escarabajo zumbó al volar sobre nosotros y se alejó. Hacia el Oeste por encima del humo de Weybridge y de Shepperton, por encima del cálido y silencioso esplendor del crepúsculo, se divisaba la luna creciente, vaporosa y pálida.

–Mejor haríamos en seguir esta senda hacia el Norte –le dije.

14. En Londres

Mi hermano menor estaba en Londres cuando cayeron los marcianos en Woking. Estudiante de medicina, se preparaba a toda prisa para los exámenes y nada supo de la caída hasta el sábado por la mañana. Los periódicos matutinos contenían, además de los extensos artículos sobre el planeta Marte, sobre la habitabilidad de los astros y sobre otras cosas por el estilo, un telegrama tan breve como extraño.

Venía a decir que los marcianos, alarmados por la aproximación de la muchedumbre, habían matado a cierto número de personas con un cañón que disparaba fuego. El telegrama terminaba con estas palabras:

«Aunque parece que son formidables, los marcianos no se han movido todavía del agujero que han formado al caer, y sin duda alguna son incapaces de moverse. Esto se debe probablemente a que es mayor en nuestro planeta la fuerza de gravedad...». Y apoyándose en estas últimas palabras los articulistas de fondo se extendían en tranquilizadoras consideraciones.

Naturalmente, todos los alumnos de biología –clase de repaso–, y mi hermano entre ellos, se interesaron grandemente en el asunto, aunque no se notara en las calles ningún síntoma de anormal agitación. Los periódicos de la tarde sólo publicaron migajas de noticias; eso sí, encabezadas con gruesos caracteres e hinchadas al máximum. No hablaban más que de los movimientos de las tropas en derredor de la pradera y de los incendios de los pinares situados entre Woking y Weybridge. A eso de las ocho la *St. James's Gazette* anunció en una edición extraordinaria que se habían interrumpido las comunicaciones telegráficas. Se atribuyó la interrupción a la caída de algunos pinos incendiados sobre los alambres y nada más se supo de la lucha aquella noche, la noche de mi ida a Leatherhead, y de mi vuelta.

No sintió mi hermano inquietud alguna respecto de nosotros porque sabía por los periódicos que el cilindro estaba a unos tres kilómetros de casa. Concibió el propósito de ir a visitarnos aquella misma noche a fin de que no se matara a las criaturas de Marte sin que las viera previamente. Nos puso un telegrama, que nunca llegó a mis manos, y pasó las primeras horas de la velada en un café-cantante.

Como también descargó en Londres la tempestad durante la noche del sábado, mi hermano tomó un coche para ir a la estación de Waterloo. Después de esperar un rato en el andén de donde suele salir el tren de las doce, supo que un accidente impedía llegar a Woking los trenes nocturnos. No pudo averiguar la índole del accidente; verdad que en aquel momento lo ignoraban también los empleados del ferrocarril. No era grande la agitación en el andén. Los jefes no sabían sino que se había abierto brecha entre Byfleet y el cruce de Woking, y en lugar de entrar por este punto los trenes destinados a recoger a los asistentes a los teatros, los hacían dar la vuelta por

Virginia Water o por Guildford. Trabajaban también activamente para alterar el itinerario de los trenes excursionistas de Southampton y Portsmouth. El reportero de un diario de la noche me tomó por el jefe del movimiento, quien se me parecía vagamente, e intentó celebrar conmigo una entrevista. Poca gente, como no fueran los empleados principales, relacionaban a los marcianos con la rotura de la línea.

En el otro relato de los sucesos he leído que el domingo por la mañana «todo Londres estaba electrizado con las noticias de Woking». En realidad, nada justificaba tan extravagante frase. Muchísimos vecinos de Londres nada supieron de los marcianos hasta el pánico de la mañana del lunes. Los más enterados tardaron bastante tiempo en comprender el significado real de los breves telegramas que contenían los periódicos del domingo. Y la mayoría de las gentes de Londres no suelen leer los que se publican en domingo.

Está además tan arraigado en el cerebro de un londinense el sentimiento de la seguridad personal y publican tan a menudo los periódicos noticias estupendas, que leían sin estremecerse cosas parecidas a las siguientes:

Anoche, a eso de las siete, salieron los marcianos del cilindro, se montaron en una armadura metálica, derrumbaron por completo la estación de Woking y las casas adyacentes y mataron todo un batallón del regimiento de Cardigan. Se ignoran los detalles. Los Maxims no han servido de nada contra esas armaduras. Éstas han desmontado las baterías. Los húsares huyen a galope hacia Chertsey. Parece que los marcianos avanzan lentamente en dirección a Chertsey o a Windsor. Reina gran ansiedad en Surrey. Se levantan grandes trincheras para defender Londres.

Así relataba la noticia el *Sunday Sun*. En un artículo resumen del *Referee* se comparaba hábilmente la situación con la de una aldea sobre la cual se hubiera soltado una colección de fieras.

Nada positivamente se sabía en Londres sobre la naturaleza de los armados hijos de Marte, y aún prevalecía la idea fija de que esos monstruos debían de ser inmóviles: «Se arrastran trabajosamente», era el lugar común.

Ninguno de los últimos telegramas podían haber sido redactados por testigos presenciales de su avance. Los periódicos de la noche tiraban nuevas ediciones a medida que llegaban más noticias; algunos hasta prescindían de recibir noticias para lanzar sus ediciones. Pero nada en concreto quedaba por decir al pueblo, hasta que al caer la tarde las autoridades comunicaron a las agencias periodísticas cuanto sabían. No era mucho: que los vecinos de Walton, de Weybridge y de todo el distrito se encaminaban hacia Londres por las carreteras. Y nada más.

Cuando mi hermano fue por la mañana a la capilla de la inclusa, ignoraba por completo lo ocurrido la noche anterior. En la iglesia se aludió a los invasores y se rezaron especiales oraciones implorando la paz. Al volver compró un número del *Referee*. Le alarmaron las noticias y volvió a la estación de Waterloo para ver si se había restablecido la comunicación. Autobuses, carruajes, ciclistas e innumerables gentes, vestidas con sus mejores ropas, parecían afectarse muy poco con los extraños relatos que esparcían los vendedores de periódicos.

La multitud no hacía más que interesarse, y las pocas personas que sentían alarma se alarmaban únicamente al pensar en los conocidos que residían en los pueblos. Supo por primera vez en la estación que se habían interrumpido las líneas de Windsor y de Chertsey. Los mozos de cuerda le contaron que durante la mañana se habían recibido varios curiosos telegramas en las estaciones de Byfleet y de Chertsey, pero que la comunicación con estos puntos había cesado de repente. Eran muy pocos los detalles precisos de que se enteró mi hermano. «Se combate en Weybridge», le dijeron, y no pasó de ahí la información.

Los servicios ferroviarios se desorganizaban. Había en el andén muchas gentes que aguardaban a sus amigos de los pueblos del Sudoeste. Un caballero anciano, de cabellos grises, se quejó ásperamente ante mi hermano de la compañía férrea.

–Hay que quitarle la careta –dijo.

Vinieron uno o dos trenes de Richmond, Putney y Kingston cargados de pasajeros que habían ido a pasar el día remando, y se encontraron con las puertas cerradas y con un aire de pánico en las gentes. Un hombre vestido de azul y blanco sintió la necesidad de contar a mi hermano lo que sabía:

–Llegan a Kingston montones de gentes que conducen sus cosas de valor en carruajes y en carros y en carretas. Vienen de Molesey, de Weybridge y de Walton; dicen que se oyen las descargas de Chertsey, que el cañoneo arrecia y que soldados de caballería los han hecho salir de sus casas porque se acercaban los marcianos. Nosotros hemos oído el cañoneo en la estación de Hampton, y supusimos que sería algún trueno. ¿Qué demonio significa todo esto...? ¿No estaban encerrados los marcianos en su agujero...? ¿O es que pueden moverse?

Mi hermano no podía decírselo.

Notó más tarde que el vago sentimiento de alarma se había comunicado a los viajeros del ferrocarril subterráneo y que los excursionistas del domingo comenzaban a volver de todos los pueblos del Sudoeste: Barnes, Wimbledon, Richmond Park, Kew y otros, más temprano que de costumbre; pero nadie sabía sino vagos rumores. Todo el personal de la estación mostraba muy mal humor.

A eso de las cinco la creciente muchedumbre se excitó sobremanera al ver abrirse la línea de comunicación entre las estaciones del Sudeste y del Sudoeste, que siempre está cerrada, y entrar por ella grandes camiones cargados de piezas de artillería y carros atestados de tropas. Eran los cañones que se enviaban de Woolwich y de Chatham para cubrir Kingston. Los soldados se gastaban bromas: «¡Nos van a comer...! ¡Somos los domadores de las fieras!», y otras por el estilo. Poco después llegó a la estación una escuadra de agentes de policía, que se puso a despejar los andenes. Mi hermano volvió a salir a la calle.

Las campanas de la iglesia llamaban a la oración de la tarde; pasó cantando por el camino de Waterloo un grupo de doncellas del Ejército de Salvación. Algunos golfos contemplaban desde el puente cómo arrastraba el río retazos sueltos de una curiosa espuma oscura. El sol se ponía en aquel momento, y los perfiles de la Torre y del Parlamento se destacaron frente al cielo más plácido que uno puede imaginarse, un cielo de oro, entrecortado por líneas transversales de nubes color púrpura. Oí hablar de un cadáver flotante. Un hombre que dijo ser reservista contó que había visto danzar en el Oeste las señales del heliógrafo.

En la calle de Wellington tropezó mi hermano con un par de resueltos mocetones que corrían vendiendo periódicos aún húmedos y los pregonaban a gritos destemplados:

–¡Horrorosa catástrofe! ¡La batalla de Weybridge! ¡Los marcianos rechazados! ¡Londres en peligro!

Tuvo que dar treinta céntimos por un número.

Y entonces fue, sólo entonces, cuando se dio plena cuenta de todo el horrible poder de los monstruos. Comprendió que no eran un puñado de criaturas torpes y pequeñas, sino cerebros que manejaban vastos cuerpos mecánicos y que podían trasladarse tan rápidamente y atacar con tal fuerza, que los cañones más poderosos serían incapaces de hacerles frente.

El periódico los describía como «terribles máquinas parecidas a serpientes, de una altura de más de treinta metros, rápidas como un tren expreso, que disparaban un rayo de calor intenso». En los alrededores de la llanura de Horsell, y especialmente entre el distrito de Woking y Londres, se habían emplazado gran número de baterías, de montaña principalmente, escondiéndolas en los accidentes del terreno. Se había visto avanzar hacia el Támesis cinco máquinas marcianas, una de las cuales fue destruida por azar. Las otras granadas erraron el blanco y las baterías fueron aniquiladas al momento por el Rayo Ardiente. Y aunque hablaba el telegrama de muchas bajas, el tono del relato era optimista.

Los marcianos habían sido rechazados y no eran invulnerables. Se retiraron a su triángulo de cilindros, en los alrededores de Woking. Avanzaban de todos lados exploradores provistos de heliógrafos. De Windsor, de Portsmouth, de Aldershot y de Woolwich –siempre del Norte– llegaban rápidamente cañones. Algunos, los de Woolwich, eran enormes máquinas de noventa y cinco toneladas. Cubrían ya el paso de Londres ciento dieciséis piezas de artillería. Nunca se había presenciado en Inglaterra tan rápida y extensa concentración de fuerzas militares.

Se esperaba destruir inmediatamente cuantos cilindros cayeran en adelante por medio de formidables explosivos que se fabricaban y distribuían a toda prisa. «La situación –decía el periódico– es grave y excepcional»; pero aconsejaba a los vecinos que no sintieran pánico y que lo desaprobaran en los medrosos. «Sin duda, los marcianos son criaturas en extremo terribles y extrañas; pero su número no pasa de veinte contra millones de personas.»

Las autoridades tenían razón al calcular, por el tamaño de los cilindros, que no podía contener cada uno más de cinco marcianos; quince en total. Y uno de ellos –tal vez más– había sido muerto. Se anunciaba al público que se le prevendría con la debida antelación la aproximación de los marcianos y que se tomaban serias medidas para proteger a los amenazados vecinos de los arrabales del Sudoeste. Y terminaba esta *casi* proclama reiterando nuevas seguridades de que Londres se hallaba a salvo, y expresando la confianza de que las autoridades conjurarían el peligro.

Todo esto estaba impreso en enormes caracteres. No hubo tiempo ni para añadir una palabra de comentario. Mi hermano me dijo que era curioso ver cómo se había transformado la confección del periódico para dejar espacio a estas noticias.

Calle abajo todo el mundo abría las rosadas sábanas de papel y comenzaba a leerlas. Y el Strand se conmovió repentinamente con los gritos de un ejército de vendedores que seguía a los dos primeros. Los hombres saltaban de los autobuses para comprar ejemplares. Vio mi hermano abrirse de pronto una tienda de mapas y aparecer tras los cristales a un señor que, vestido de fiesta y hasta con los guantes puestos, colocaba a toda prisa mapas de Surrey en el escaparate.

Yendo por el Strand a Trafalgar Square con el periódico en la mano, vio mi hermano a un grupo de fugitivos que venían del oeste de Surrey, entre ellos un hombre que guiaba un carro, parecido a los que gastan los verduleros, donde venían su mujer, dos niños y algunos muebles. Avanzaba hacia el puente de Westminster, e inmediatamente le seguían un camión que conducía a cinco o seis personas decentemente trajeadas y algunas cajas y envoltorios. Era sombrío el aspecto de estas gentes, y contrastaba notoriamente con el dominguero de las gentes que iban en los autobuses. Al pasar los elegantes en sus coches, los miraban con curiosidad. Se detuvieron en Trafalgar Square, no sabiendo por qué camino decidirse, y al fin se volvieron hacia el Este por el Strand. Apareció después un hombre de blusa en uno de esos viejos triciclos que tienen una rueda delantera. Iba lleno de barro, con la cara muy pálida.

Se volvió mi hermano hacia Victoria, y encontró cierto número de fugitivos. Tenía la vaga esperanza de tropezar con algún conocido mío. Advirtió que desusado número de agentes regulaban el tránsito de coches. Algunos refugiados cambiaban impresiones con los viajeros de los autobuses. Uno declaró haber visto a los marcianos:

–Le digo a usted que son calderas sobre zancos y que andan como los hombres.

Sus extrañas aventuras habían sobreexcitado a la mayoría.

Más allá de Victoria hacían las tabernas un buen negocio con los recién llegados. En todas las esquinas numerosos grupos leían los periódicos, hablaban con animación o contemplaban a los inesperados visitantes domingueros. Los grupos aumentaban a medida que caía la noche, hasta que al fin le parecieron a mi hermano todas las calles tan animadas como lo está la de Epsom el día del gran premio del Derby[1]. Mi hermano hizo varias preguntas a estos fugitivos, no obtuvo más que respuestas incoherentes.

Ninguno pudo darle noticias de Woking, excepto un hombre, quien le aseguró que la villa había sido totalmente destruida la noche anterior.

–Vengo de Byfleet –dijo–, llegó un ciclista esta madrugada y fue de puerta en puerta para decirnos que saliéramos. Luego vinieron los soldados. Quisimos saber lo que pasaba y sólo vimos hacia el Sur nubes de humo, pero humo sólo, sin que nadie viniera por ese lado. En seguida oímos el cañoneo de Chertsey, y a poco entraron en Byfleet los fugitivos de Weybridge. Entonces cerré la casa y me puse en camino.

En las calles se notaba profunda irritación contra las autoridades porque no habían sabido librarse de los invasores sin acarrear aquel cúmulo de molestias.

A eso de las ocho se pudo percibir distintamente en todo el sur de Londres el bronco ruido de un cañoneo. Mi hermano no lo sintió en las calles principales a causa del barullo; pero tomando las tranquilas callejuelas que dan al río lo escuchó claramente.

Se volvió a pie desde Westminster a su habitación, situada en las cercanías del Regent's Park, a eso de las diez. Sintióse lleno de ansiedad al pensar en mí, atormentado ante la evidente magnitud de la catástrofe. Su espíritu se inclinaba a ocuparse en los preparativos militares, como el mío durante el sábado. Pensaba en los cañones, silenciosos y expectantes; en la comarca, convertida súbitamente en pueblo nómada. Trató de imaginarse «calderas sobre zancos de treinta metros de altura».

1. Prueba hípica creada en 1780; es la carrera de caballos más famosa del mundo.

Pasaron uno o dos carros de fugitivos por la calle de Oxford y varios por la de Marylebone; pero las noticias se extendían tan lentamente que en Regent Street y en Portland Road se veía a los paseantes de todos los domingos, aunque formando grupos. Vagaban por los alrededores de Regent's Park, bajo la trémula luz del gas, tantas parejas silenciosas como de costumbre. La noche era cálida y tranquila, algo pesada; aún continuaba el cañoneo; después de las doce parecía verse hacia el Sur una especie de sábana luminosa.

Leyó y releyó el periódico, temiendo que me hubiese ocurrido lo peor. No podía dormir, y después de cenar volvió a salir a la calle sin dirección fija. Al volver trató inútilmente de distraerse con el repaso de sus libros. Se acostó poco después de medianoche y lo sacaron de alguna pesadilla los aldabonazos que se oían en las puertas de la calle, el ruido de la gente al correr, el tambor lejano y el repiqueteo de las campanas. En el techo del cuarto bailaban resplandores intensamente rojos. Permaneció un instante inmóvil, preguntándose si era ya de día o si el mundo se había vuelto loco. Luego saltó del lecho y corrió a la ventana.

Como su cuarto era un desván, vio al asomarse que el ruido producido al abrirse el bastidor de la ventana repercutió unas doce veces y aparecieron otras cuantas cabezas con el pelo en desorden.

–¿Qué sucede? –se preguntaban de todas partes.

–¡Que vienen! –gritó un agente de policía, llamando a la puerta–. ¡Que vienen los marcianos! –y corrió a la inmediata.

Redoblaron tambores y cornetas en los cuarteles de la calle de Albany y todas las campanas al alcance de los oídos se coligaron para matar el sueño en vehemente y desordenado somatén. Se oyó un ruido de puertas al abrirse y todas las ventanas, una tras otra, pasaron de la oscuridad a una luz amarilla.

Llegó a galope por la calle un carruaje cerrado; el ruido que estalló de repente en la esquina se fue elevando por grados hasta el estruendo, para morir suavemente a lo lejos. En seguida se oyeron algunos coches de alquiler, vanguardia de una larga procesión de rápidos vehículos que se encaminaban la mayor parte a la estación de Chalk Farm, de donde iban a salir trenes especiales de la Compañía del Noroeste, en lugar de bajar la cuesta de Luston.

Largo tiempo se quedó mi hermano en la ventana mirando con asombro cómo los policías llamaban a todas las puertas y anunciaban a gritos la noticia incomprensible. Se abrió una puerta y penetró en su cuarto el vecino inmediato, en camisa, pantalón y zapatillas, el pelo en desorden y el nudo de la corbata por hacer.

–Pero ¿qué pasa? –preguntó–. ¿Algún incendio...? ¿De dónde sale este ruido infernal?

Los dos se asomaron de nuevo a la ventana, estirándose para oír lo que gritaban los agentes. La multitud desembocaba por las calles transversales y formaba animados grupos en todas las esquinas.

–Pero ¿qué pasa? –preguntaba el vecino.

Mi hermano le contestó con vaguedades y se puso a vestirse, asomándose a la ventana a cada prenda que se ponía para no perder detalle de la creciente excitación de las calles. Al poco rato aparecieron vendedores de periódicos que gritaban:

–¡Londres en peligro de asfixia! ¡Forzadas las defensas de Kingston y de Richmond! ¡Terribles matanzas en el valle del Támesis!

Y a su alrededor –en los pisos de abajo, en las casas vecinas, en las de enfrente, más allá de las terrazas del Parque, en las cien calles de aquel barrio de Marylebone, en el distrito de Westbourne Park en San Pancracio, al Oeste y al Norte, en Kilburn, en St. John's Wood y en Hampstead, al Este, en Shoreditch, en Highbury, en Haggerston y en Hoxton, y de seguro en toda la extensión de Londres, desde Ealing hasta East Ham– la gente se restregaba los ojos y abría las ventanas y preguntaba cosas sin sentido y se vestía a toda prisa al pasar por las calles el primer soplo de la inminente tempestad de Miedo.

Era la aurora del gran pánico. Londres, acostado el domingo estúpido e inerte, se levantaba la madrugada del lunes con la violenta sensación del peligro.

Como desde la ventana no podía saber lo que ocurría, mi hermano se echó a la calle cuando la aurora sonrojaba el cielo por encima de los tejados. Aumentaba sin cesar el tropel de gentes que huían a pie o en coche.

–¡El Humo Negro! –se gritaba–. ¡El Humo Negro!

Era inevitable el contagio de tan unánime terror. Como mi hermano se quedó vacilante en el portal, vio que otro vendedor de periódicos se le acercaba y compró un número. El vendedor corría con la muchedumbre y cobraba por cada periódico un chelín, ¡grotesca mezcla de avaricia y de miedo!

Y en este periódico leyó el catastrófico despacho del comandante en jefe:

Los marcianos descargan enormes nubes de un humo negro y venenoso por medio de cohetes. Han asfixiado a los artilleros de las baterías, destruido Richmond, Kingston y Wimbledon y avanzan lentamente hacia Londres, devastándolo todo al pasar. Es imposible detenerlos. Contra el Humo Negro no hay otro modo de salvarse que la fuga.

Era todo, pero bastaba. Los seis millones de habitantes de la gran ciudad se empujaban, resbalaban, corrían. ¡Todos hacia el Norte!

–¡El Humo Negro! ¡El Fuego! –se gritaba.

Las campanas de la próxima iglesia repiqueteaban desaforadamente; un carro mal guiado se rompió contra el abrevadero de la esquina; juró el conductor; luces amarillas, enfermizas, iban y venían por las casas; concurrían los coches, con los faroles encendidos aún, y la aurora, por encima de todo, se ponía más brillante, clara, fija y serena.

Oyó pasos en las habitaciones y en las escaleras de aquí y allá. La propietaria bajó al portal mal cubierta con el peinador y un chal; su marido la seguía, blasfemando.

Y al darse cuenta mi hermano de la importancia de todas estas cosas, subió al cuarto precipitadamente, se metió en el bolsillo todo el dinero disponible –unas diez libras en total– y volvió a la calle.

15. Lo que sucedió en Surrey

Mientras el buen vicario me decía cosas incoherentes a la sombra de un haya en los prados de Halliford y contemplaba mi hermano el paso de los fugitivos desde el puente de Westminster, los marcianos reanudaban la ofensiva. Por lo que se ha podido sacar en limpio de los relatos contradictorios, se sabe que la mayoría permaneció en las canteras de Horsell, hasta las nueve de la noche, ocupada en trabajos preparatorios, de los que se desprendían densas nubes de humo verde.

Pero seguramente tres marcianos salieron a eso de las ocho, se adelantaron despacio y con precauciones por Byfleet y Pyrford a Ripley y Weybridge y se colocaron contra el poniente a la vista de las baterías expectantes. No avanzaron juntos, sino distanciados uno del otro en más de dos kilómetros. Se comunicaban por medio de aullidos semejantes a los de las sirenas de los barcos cuando suben y bajan por las notas del pentagrama.

Este ruido y el del cañoneo de Ripley y San Jorge Hill eran los que oíamos desde Halliford. Los artilleros de Ripley, voluntarios y bisoños, que no debieron nunca haber sido colocados en semejante posición, dispararon una andanada sin orden, prematura e ineficaz, y se desbandaron a caballo y a pie por la aldea desierta. El marciano pasó tranquilo por encima de los cañones sin emplear el Rayo Ardiente; anduvo despacio y con precaución al cruzar las baterías, siguió adelante y llegó inopinadamente a los cañones de Painshill Park, que destruyó.

Sin embargo, las tropas de San Jorge Hill estaban mejor mandadas o eran de mejor temple. Diseminadas en un bosque de abetos, es posible que el marciano no esperara encontrarlas. Apuntaron los cañones con la misma sangre fría que si se hallaran en maniobras, y dispararon a una distancia de mil metros.

Las granadas estallaron junto al marciano: se le vio dar algunos pasos, tambalearse y caer.

Todo el mundo profirió un grito y se volvieron a cargar las piezas con frenética precipitación. El marciano derribado lanzó un aullido largo y al punto apareció por el Sur y sobre los árboles otro titán resplandeciente. Parece que la descarga había roto una de las patas del trípode. La segunda andanada pasó por encima del marciano caído e inmediatamente sus compañeros enfocaron su Rayo Ardiente sobre la batería. Saltaron las municiones, ardieron los abetos que rodeaban las piezas y sólo lograron escaparse uno o dos artilleros, protegidos por la cresta de la colina.

Después de esto los gigantes debieron de pararse y celebrar consejo; los espías que los vigilaban aseguran que los vieron inmóviles más de media hora. El marciano caído, criatura morena que desde lejos parecía una mancha de roña, se salió trabajosamente de su especie de caperuza y se puso a reparar su aparato. Debió de acabar a eso de las nueve, porque volvió a brillar su caperuza por encima de los árboles.

Pocos minutos después de las nueve se unieron a estos tres centinelas otros cuatro marcianos, que llevaban un gran tubo negro. Se proveyó a los tres primeros de tubos semejantes y los siete titanes se pusieron a iguales distancias en una línea curva que iba desde San Jorge Hill, Weybridge, hasta la villa de Send, al sudoeste de Ripley.

Tan pronto como empezaron a moverse se disparó en las colinas una docena de cohetes, que avisaron a las baterías de Ditton y Esher. Al mismo tiempo cuatro máquinas de combate, armadas de tubos, cruzaron el río, y dos de ellas, destacándose en negro contra el cielo occidental, se nos aparecieron al vicario y a mí, que, fatigados y doloridos, caminábamos por la carretera que sale de Halliford en dirección al Norte. Nos figuramos que avanzaban en una nube, porque una bruma lechosa cubría los campos y se alzaba hasta la tercera parte de su altura.

Al verlos lanzó el vicario un débil y ronco grito y echó a correr; pero yo sabía que era inútil huir de un marciano; di media vuelta y me deslicé entre las espesas zarzas y ortigas que hay en el fondo de la zanja que bordea el camino. Miró atrás el vicario, vio que yo me escondía y se me acercó de nuevo.

Los dos marcianos hicieron alto; el más próximo se quedó en pie mirando a Sunbury; el más lejano sólo se aparecía como una mancha gris bajo la estrella nocturna hacia Staines.

Habían cesado los aullidos con que los marcianos se entendían. Tomaron sus posiciones en absoluto silencio, formando alrededor de sus cilindros una media luna que medía veinte kilómetros de punta a punta.

Los marcianos se nos aparecieron como únicos soberanos de la noche tenebrosa, que no bastaban a iluminar medianamente la vaporosa luna creciente, las estrellas, los últimos reflejos del crepúsculo y los incendios de San Jorge Hill y de los bosques de Painshill.

Pero, haciendo frente a esta línea de ataque, en Staines, en Hounslow, en Ditton, en Esher, en Ockham, detrás de las colinas y de los bosques, al sur del río, en las praderas bajas, al norte del Támesis, dondequiera que una aldea o un grupo de árboles ofreciera suficiente abrigo, esperaban los cañones. Estallaron los cohetes señales, desparramaron sus chispas en la noche y desaparecieron, llenando de impaciencia a los artilleros de las baterías. Tan pronto como los marcianos se colocaran al alcance de los cañones, aquellas inmóviles y negras formas humanas, aquellos cañones que brillaban sombríamente en la nocturna oscuridad estallarían en tempestuosa furia de combate.

Sin duda lo que preocupaba a aquellos cerebros vigilantes, lo que a mí me preocupaba, era el enigma de saber lo que comprendían los marcianos de nosotros. ¿Se daban cuenta de que millones de hombres trabajaban organizada, disciplinadamente en la misma obra? ¿O interpretaban esos chorros de llamas y esos súbitos vuelos de las granadas, como nosotros el asalto furioso y unánime de las abejas de una colmena? ¿Se imaginaban exterminarnos? (Nadie sabía entonces qué alimento necesitaban). Batallaban en mi espíritu un centenar de preguntas semejantes mientras contemplaba los preparativos de la batalla. En el fondo tenía yo la sensación tranquilizadora de todas las defensas escondidas en Londres. ¿Se habrían preparado fosos y trampas? ¿Servirían de cepo los polvorines de Hounslow? ¿Tendrían los londinenses el valor de hacer con sus edificios lo que los rusos con Moscú[1]?

1. Se refiere al incendio que sufrió Moscú durante las guerras napoleónicas para impedir el avituallamiento del ejército francés. A pesar

Y después de interminable espera, que pasamos agazapados, llegó a nuestros oídos un ruido parecido a la detonación de algún cañón distante. Se oyó otro más cercano, y luego otro. El marciano más próximo a nosotros alzó el tubo y lo descargó a la manera de un cañón, produciendo un ruido sordo que hizo temblar el suelo. Le respondió el marciano situado junto a Staines. No hubo llamas ni humo, sino únicamente la detonación ronca.

Tal impresión me produjeron estas descargas sucesivas, que, olvidándome de mi seguridad personal y de mis manos escaldadas, trepé por el haya para ver lo que ocurría en Sunbury. En aquel momento se oyó otra detonación y pasó silbando sobre mi cabeza otro proyectil enorme, que fue dando vueltas en dirección a Hounslow. Esperaba ver cuando menos llamas, humo o cualquier otro efecto de la caída. Pero todo lo que vi fue el cielo azul intenso y una estrella solitaria y la niebla blanquecina extendiéndose a mis pies. Y no hubo ningún estrépito, ni respondió explosión alguna. Reinó el silencio; cada minuto parecía tres.

–¿Qué sucede? –me preguntó el vicario, que subía a mi lado.

–¡Dios lo sabe! –respondí.

Revoloteó un murciélago y desapareció. Escuchamos un instante un tumulto de voces, que se acalló en seguida. Miré al marciano nuevamente y lo vi encaminarse a la derecha a lo largo del río con su marcha rotativa y rápida.

A cada momento esperaba ver abrir el fuego de alguna batería, pero nada alteró el silencio de la noche. La silueta del marciano disminuía a lo lejos, y bien pronto se la tragaron la niebla y la oscuridad. Acometidos por el mis-

de que la ciudad quedó prácticamente destruida, fue reconstruida rápidamente.

mo deseo, los dos trepamos más arriba. Se veía hacia Sunbury una forma sombría que ocultaba a nuestras miradas la comarca de más allá, como si alguna colina cónica se hubiese levantado de repente, y luego, más lejos y del otro lado del río, vimos otra cúspide semejante por encima de Walton. Mientras las examinábamos estas formas se achataban y extendían.

Movido por otro impulso, miré hacia el Norte, y vi que se habían levantado otras tres densas y oscuras nubes.

Se hizo un silencio absoluto. Recalcaron aún más este silencio los gritos que se lanzaban los marcianos a lo lejos, en el Sudeste. El aire se estremeció de nuevo con la distante explosión de los tubos. Pero la artillería terrestre se quedó sin contestar.

Nos era entonces imposible comprender esas cosas; pero más tarde pude comprender la significación de esas colinas terribles que se formaron en el crepúsculo. Cada uno de los marcianos que constituían la media luna que ya he descrito descargó, a una señal desconocida y por medio de un tubo-cañón, una especie de inmensa granada sobre toda colina, monte bajo, grupo de casas o cualquier otro abrigo posible de cañones que se encontrara al alcance de su vista. Algunos sólo dispararon un proyectil de ésos; otros, dos, como el que habíamos visto; el de Ripley, según me han dicho, no disparó menos de cinco. Estos tubos se aplastaban al caer en tierra, sin hacer explosión, e inmediatamente desprendían enorme volumen de vapor espeso, color de tinta, que se desenroscaba y subía al cielo en una espesa nube negra, en una colina gaseosa que se achataba y extendía por sí sola sobre el campo de los alrededores. El contacto de este vapor o la aspiración de estas nubes era la muerte para todo lo que respira.

Era pesado este vapor, más pesado que el humo más denso; de tal modo que, después del primer desprendimiento tumultuoso al estallar en el choque, se hundía en el aire y se desparramaba por la tierra, más como un líquido que como un gas, y abandonaba las colinas para penetrar en los valles, los fosos y los arroyos, como ácido carbónico que se escapa de las grietas de un volcán. Dondequiera que se juntaba con el agua se producía inmediatamente alguna acción química y la superficie se cubría al punto de una espuma polvorienta que se hundía lentamente para que se formaran otras capas. La espuma era totalmente insoluble y es extraño que se pudiera beber sin peligro el agua extraída del punto donde había producido el gas efectos tan inmediatos. El vapor no se difundía como los otros gases. Flotaba en nubes compactas, descendía perezosamente las cuestas, era recalcitrante al viento, se combinaba muy despacio con la bruma y la humedad del aire y caía al suelo en forma de polvo. Excepto en lo que concierne a un elemento desconocido, que da un grupo de cuatro rayas en el azul del espectro, se ignora en absoluto la naturaleza de esta sustancia.

Cuando terminaba la tumultuosa elevación del estallido, el Humo Negro se apretaba de tal manera contra el suelo, antes de precipitarse convertido en polvo, que a cincuenta pies de altura, en los tejados y pisos superiores de las casas elevadas y sobre los grandes árboles, había posibilidades de escapar al envenenamiento; los hechos lo probaron aquella noche en Cobham y en Ditton.

El hombre que se salvó de la asfixia en el primero de estos lugares refiere una historia maravillosa sobre la extrañeza de este azote. Cuenta cómo vio desde el campanario de la iglesia resurgir poco a poco las casas de entre esta negruzca aniquilación, cual si fueran fantasmas. Permaneció allí día y medio, rendido, muerto de hambre, quemado por el sol, contemplando a sus pies la tierra bajo el cielo azul, y viendo, contra el fondo de las colinas lejanas, una extensión cubierta de algo parecido a terciopelo negro, en que se descubrían los techos rojos y los árboles verdes, y presenciando cómo después aparecieron lentamente cercas, matorrales, granjas, tejavanas y paredes veladas de negro.

Esto sucedía en Cobham, donde permaneció el Humo Negro en el suelo hasta que la tierra lo absorbió por sí misma. Una vez realizado su propósito, los marcianos solían limpiar la atmósfera por medio de grandes chorros de vapor.

Es lo que hicieron con las capas próximas a nosotros, como pudimos verlo a la luz de las estrellas, tras las ventanas de una casa del Alto Halliford, donde nos habíamos refugiado. Desde allí presenciamos igualmente los reflectores, que andaban de un lado a otro en las colinas de Richmond y Kingston; luego, a eso de las once, retumbaron los cristales y oímos las detonaciones de los grandes cañones de sitio alineados en aquellas alturas. El cañoneo continuó a regulares intervalos, durante un cuarto de hora, lanzándose proyectiles al azar contra los marcianos invisibles de Hampton y de Ditton; luego se desvanecieron los pálidos rayos de los reflectores, siendo reemplazados por vivos resplandores rojos.

Entonces, según supe después, cayó en Bushey Park el cuarto meteoro, de un color verde vivo. Antes de que abriese el fuego la artillería de Richmond y de Kingston se oyó a lo lejos, hacia el Sudoeste, fuerte cañoneo, que supongo produjeron las baterías que disparaban sin apuntar, antes de que el Humo Negro sumergiera a los artilleros.

Así, con el mismo sistemático método que los hombres emplean para ahumar un nido de avispas, cubrían los marcianos la comarca en dirección a Londres de este asfixiante vapor.

La curva que formaban los invasores se extendía lentamente hasta llegar desde Hanwell a Coombe y Malden. Toda la noche trabajaron sus tubos destructores. Tras haber sido derribado aquel marciano en San Jorge Hill, ninguno de los otros volvió a aproximarse a la artillería. Donde se figuraban que podía esconderse algún cañón lanzaban un proyectil cargado de vapor negro. Donde las baterías estaban a la vista se contentaban con proyectar el Rayo Ardiente.

A medianoche, los árboles incendiados en las pendientes de Richmond y los fuegos de Kingston iluminaron una capa de humo negro que escondía todo el valle del Támesis, extendiéndose a todo el alcance de la vista. A través de esta confusión avanzaban dos marcianos, que dirigían en todas direcciones sus estruendosos chorros de vapor.

Los marcianos parecían no querer usar mucho el Rayo Ardiente aquella noche, bien porque sólo contasen con limitada provisión de la materia que lo producía, bien porque no intentaran destruir el país, sino únicamente aterrorizarlo y aniquilar la oposición que su llegada había despertado. De seguro realizaron este último propósito. La noche del domingo puso término a toda resistencia organizada contra sus movimientos. Después de esto no hubo grupo de hombres que se atreviera a hacerles frente, ¡tan descabellado parecía el intento! Hasta las tripulaciones de los torpederos y destructores que habían remontado el Támesis con sus cañones de tiro rápido se negaron a detenerse, se amotinaron y acabaron regresando. La sola operación ofensiva que intentaron los hombres aquella noche fue la preparación de minas y de fosos, bien que con energía casi espasmódica.

Hay que imaginarse como se pueda el destino de aquellas baterías de Esher que espiaban ansiosas las penumbras del crepúsculo. No hubo supervivientes. Se imagina uno las órdenes reglamentarias, el alerta atento de los oficiales, los cañones prestos, las municiones a mano, los avantrenes enganchados, los grupos de paisanos que contemplaban la maniobra lo más cerca que se les permitía; todo esto, en la gran tranquilidad de la noche. Y más lejos las ambulancias con los heridos y los quemados de Weybridge, y por último la sorda detonación del tubo de los marcianos y el proyectil extraño girando por encima de los árboles y de las casas y aplastándose en medio de los campos próximos...

Uno puede imaginarse el repentino redoblamiento de atención, la difusión rápida de estas tinieblas que al invadir la tierra se inflaban y encogían y se elevaban al cielo en forma de torre convirtiendo la penumbra del crepúsculo en oscuridad palpable; uno puede imaginarse este terrible y curioso antagonista de vapor envolviendo a sus víctimas; la huida de hombres y caballos, los gritos, los relinchos, los aullidos de dolor, las caídas a tierra, el súbito abandono de los cañones, la asfixia de los hombres al retorcerse en el suelo y el ensanche rápido del cono opaco de humo. Luego, la oscuridad sombría e impenetrable, nada más que una masa silenciosa de compacto vapor amortajando a sus muertos.

Poco antes del alba se extendió el vapor por las calles de Richmond y el desintegrado organismo del gobierno hizo su último esfuerzo al despertar la población de Londres y hacerle sentir la necesidad de la huida.

16. El pánico

He aquí cómo se explica la resonante ola de miedo que barrió la mayor ciudad del mundo al amanecer el lunes; los arroyos de fugitivos se convirtieron de súbito en torrente que chocaba con estruendo contra las grandes estaciones, luchaba horriblemente en las orillas del Támesis por encontrar puesto en los barcos y se escapaba por todos los caminos al Norte y al Este. A las diez comenzó a perder su cohesión la policía; a las doce la organización de los ferrocarriles se reblandeció hasta desaparecer en la rápida liquidación del cuerpo social.

Prevenidas desde el principio de la noche del domingo las líneas situadas al norte del Támesis y la red del Sudeste, sus trenes se les llenaron a las doce y la multitud, a partir de las dos, se peleaba encarnizadamente por ir de pie en los vagones. A eso de las tres muchas gentes fueron derribadas y pisoteadas en la estación de Bishopsgate; a más de doscientos metros de la estación de la calle Liverpool hubo tiros y puñaladas y los agentes de policía enviados para mantener el orden acabaron por abrir la cabeza a las gentes que debían proteger.

A medida que avanzaba el día maquinistas y fogoneros se negaban a volver a Londres. La presión de la turba arrastró a todo el mundo en una multitud sin cesar creciente, que, lejos de las estaciones, se encaminaban por las calles hacia el Norte. A eso del mediodía se vio a un marciano en Barnes y se vislumbró una nube de vapor negro que se hundía lentamente, seguía el curso del Támesis e invadía las praderas de Lambeth, cortando en su lenta marcha toda retirada por los puentes. Pasó otra nube sobre Ealing y un pequeño grupo de fugitivos se encontró cercado en Castle Hill, lejos aún del vapor asfixiante, pero impotente para huir por parte alguna.

Después de una lucha inútil por encontrar en Chalk Farm billete en un tren del Noroeste –era tan grande la multitud que, para que las locomotoras pudieran aprovisionarse de carbón en la estación de mercancías, fue preciso que doce hombres forzudos impidieran que se aplastara al maquinista contra el fogón–, mi hermano desembocó en la carretera de Chalk Farm, se adelantó a través de una multitud de vehículos que corrían a toda prisa y tuvo la suerte de hallarse en primera fila cuando ocurrió el saqueo de un almacén de velocípedos. Se le rompió el neumático delantero de la máquina de que pudo echar mano al pasar por un espejo roto; pero logró huir, a pesar de todo, sin mayor daño que una cortadura en el puño. La cuesta de Haverstock Hill estaba intransitable a causa de los coches y caballos derribados, y mi hermano se dirigió por Belsize Road.

De este modo escapó a la desbandada. Dando la vuelta por la carretera de Edgware, llegó a este punto a eso de las siete, fatigado y muerto de hambre, pero llevando gran ventaja a la multitud. A lo largo del camino, gentes curiosas y asombradas se asomaban a las puertas. Le sobrepasaron cierto número de ciclistas, algunos jinetes y dos automóviles.

A una milla de Edgware se le rompió una rueda y la máquina quedó inutilizable. La dejó en una orilla del camino y se fue a pie a la población. En la calle Mayor había tiendas medio abiertas y las gentes se agrupaban en las aceras, en los portales de las casas y en las ventanas, para contemplar atolondradas los grupos precursores de la procesión de fugitivos. Logró procurarse algún alimento en una posada. Durante largo rato permaneció en la villa sin saber lo que hacer; aumentaba el número de fugitivos y la mayor parte parecía dispuesta, como él, a detenerse allí. Nadie daba noticias más recientes de los marcianos invasores.

Ya la carretera estaba llena, pero no obstruida del todo. El mayor número de fugitivos eran aún ciclistas, pero pasaron en seguida a toda velocidad automóviles, coches de alquiler, carruajes de toda especie; y flotaba el humo en nubes espesas por todo el camino que lleva a Saint Albans.

Tal vez se le ocurrió vagamente ir a Chelmsford, donde tenía amigos, y acaso le impulsó este pensamiento a dirigirse por una tranquila callejuela que da al Este. Llegó en seguida a una barrera y, franqueándola, tomó por un sendero que se inclinaba al Nordeste. Pasó junto a varias granjas y algunas cabañas, cuyos nombres ignoraba. Por allí los fugitivos eran pocos. En un camino transversal del Alto Barnet encontró por casualidad a dos señoras de quienes se hizo compañero de viaje. Llegó en el preciso momento de poderlas salvar.

Gritos de espanto, que oyó de repente, le hicieron apresurarse. En un recodo del camino pretendían dos hombres apoderarse del cochecillo en que se hallaban, mientras el tercero sujetaba con dificultad el caballo espantado. Una de las señoras, pequeña y vestida de blanco, se limitaba a dar gritos, pero la otra, morena y esbelta, golpeaba con el látigo al hombre que la agarraba.

Mi hermano se hizo inmediatamente cargo de la situación, y respondiendo a sus gritos se lanzó al lugar de la lucha. Uno de los hombres le hizo frente; comprendió mi hermano en la expresión de su adversario que era inevitable el encuentro, pero, boxeador hábil, cayó inmediatamente sobre él y lo hizo rodar contra el coche.

Como no era ocasión de pugilatos caballerescos, le asestó inmediatamente una patada a fin de que no se moviera. Cogió en seguida por el cogote al individuo que agarraba a la señorita. Oyó el ruido de los cascos, el látigo le dio en mitad de la cara, un tercer adversario le pegó entre los ojos y el hombre a quien agarraba se soltó y echó a correr por el camino de donde venía.

Se encontró medio aturdido frente al hombre que sujetaba el caballo, y vio que el coche se alejaba por el camino, dando sacudidas, mientras las dos mujeres se volvían implorando ayuda. Su adversario, mocetón robusto, hizo ademán de pegarle, pero lo detuvo de un puñetazo en la cara. Entonces, comprendiendo que lo dejaban solo, echó a correr detrás del coche, mientras el adversario procuraba detenerlo y el fugitivo, envalentonado al verlo correr, lo seguía a distancia.

De pronto dio un tropezón y cayó al suelo; el perseguidor más inmediato se fue al suelo de cabeza, y cuando se levantó mi hermano se vio enfrente de dos adversarios. Las probabilidades de victoria habrían sido pocas de no haber acudido en su socorro la dama esbelta, que, durante aquel momento, se hallaba en posesión de un revólver, sólo que cuando fueron atacadas lo tenía debajo de su asiento. Hizo fuego a seis metros de distancia y en poco estuvo que no hiriera a mi hermano. El menos valeroso de los asaltantes se dio a la fuga y su compañero lo siguió, injuriándolo por su cobardía. Los dos se detuvieron en el punto donde su compañero yacía inanimado.

–Tenga usted esto –dijo la más joven, alargando el revólver a mi hermano.

–Vuelva usted al coche –replicó éste, limpiándose la sangre del labio roto.

Sin hablar palabra –los dos estaban jadeantes– se volvieron al punto donde la señora vestida de blanco trataba de sujetar el caballo.

Los ladrones evidentemente se daban por contentos. Cuando mi hermano volvió la cabeza los vio alejarse a toda prisa.

–Me sentaré aquí si usted me lo permite –dijo mi hermano, instalándose en el pescante desocupado.

La dama lo miró furtivamente.

–Deme usted las riendas –respondió arreando al caballo con el látigo. Poco después los tres ladrones habían desaparecido tras un recodo de la carretera.

Y de esta suerte tan inesperada se vio mi hermano recorriendo en coche un camino desconocido, acompañado de dos damas, y jadeante, con la boca cortada, un cardenal en la mejilla y las manos despellejadas.

Supo que era una de ellas la mujer y otra la hermana menor de un médico de Stanmore, quien, al volver por la madrugada de visitar a un parroquiano gravemente enfermo, se había enterado en alguna estación del avance de los marcianos. Regresó precipitadamente a casa, hizo levantarse a las dos mujeres –se les había marchado la criada dos días antes–, empaquetó algunas provisiones, colocó el revólver bajo el asiento del coche (por fortuna para mi hermano) y les recomendó que se fueran a Edgware para tomar el tren. Él se quedó al objeto de prevenir a los vecinos, prometiendo alcanzarlas a las cuatro y media de la mañana. Eran las nueve y aún no lo habían visto. No pudiendo detenerse en Edgware a causa del creciente tránsito, arrearon el coche por un camino transversal.

Tal fue el relato que oyó mi hermano fragmentariamente. Poco más tarde se detuvieron de nuevo cerca de New Barnet. Les prometió acompañarlas hasta que pudieran decidir lo que se proponían hacer o hasta que llegase su hermano, y les dijo, con objeto de inspirarles confianza, que era un excelente tirador de revólver (arma que le era completamente extraña).

Acamparon, si vale la palabra, al borde del camino, con gran contento del caballo, que pudo mordisquear a su capricho las zarzas de la cerca. Contó mi hermano de qué manera había huido de Londres, y les dijo cuanto sabía de los marcianos y de su comportamiento. El sol se elevaba poco a poco; cesó la conversación al cabo de un instante, y el silencio abrió paso a un pesimista malestar. Cruzaron varios viajeros, de quienes obtuvo mi hermano cuantas noticias podían suministrarle. Las entrecortadas frases con que le contestaron aumentaban sus temores de un gran desastre acaecido a la humanidad, y le arraigaron aún más el convencimiento de que era preciso huir a toda prisa. Ponderó con viveza ante sus compañeras la necesidad de escapar.

–Tenemos dinero –exclamó la más joven, y cortó en seco la frase.

Su mirada encontró la de mi hermano, y el encuentro desvaneció sus dudas.

–También yo –contestó éste.

Manifestaron que poseían treinta libras en oro y un billete de cinco libras, y emitieron la idea de que con esto podía tomarse el tren en Saint Albans o en New Barnet.

Mi hermano les explicó que la cosa sería imposible, porque los londinenses habrían invadido ya todos los trenes, y les comunicó su pensamiento de cruzar el condado de Essex por Harwich y salir definitivamente de Inglaterra.

La señora Elphinstone –así se llamaba la vestida de blanco– no quiso oír hablar de tal propósito, y reclamaba obstinadamente a su «George»; pero su cuñada, serena y reflexiva, acabó por aprobar la insinuación de mi hermano. Se encaminaron hacia Barnet, con intención de cruzar la gran carretera del Norte; mi hermano conducía el caballo de la brida al objeto de que no se fatigara con exceso.

A medida que las horas pasaban, el calor se hacía aplastante; la arena, espesa y blanquecina, abrasaba los pies; adelantaban poco. El polvo teñía las hayas de gris. Al acercarse a Barnet se oyó un murmullo tumultuoso, más distinto a cada paso que daban.

Comenzaron a tropezar con gentes que caminaban en su mayor parte con los ojos inmóviles, balbuciendo preguntas vagas, muertas de cansancio, sucias, haraposas. Pasó a pie un hombre vestido con el camisón; miraba al suelo. Le oyeron la voz, hablaba solo; al volverse le vieron encresparse los cabellos con una mano, amenazar con la otra a enemigos invisibles. Dominando el acceso de furor, siguió por su camino sin levantar los ojos.

Al aproximarse al cruce situado al sur de Barnet, vieron que una mujer atravesaba los sembrados con un niño en brazos y dos más colgados de sus faldas; pasó luego un hombre vestido de negro, sucio el traje, un garrote en la mano derecha y un maletín en la izquierda. En el punto donde el camino desemboca en la carretera grande, por entre quintas de recreo, apareció un cochecillo tirado por una jaca negra que echaba espuma. Lo guiaba un joven lívido, gris de polvo, con un sombrero hongo. Iban con él tres muchachas, obreras probablemente de alguna fábrica del extremo este de Londres, y dos niños pequeños, todos amontonados en el vehículo.

–¿Se va por aquí a Edgware? –preguntó el joven de extraviados ojos y lívido semblante; y cuando le respondió mi hermano que tenía que volver a la izquierda, arreó el caballo de un latigazo sin molestarse en dar las gracias.

Advirtió mi hermano una niebla o un humo gris y pálido que subía entre las casas situadas por delante y velaba la blanca fachada de una terraza que aparecía entre las quintas del otro lado de la carretera. La señora Elphinstone se puso de pronto a lanzar gritos al ver las rojas llamaradas que subían por encima de las casas al cielo azul intenso. Fundíase el ruido tumultuoso en desordenada mezcolanza de innumerables voces, rechinamientos de numerosísimas ruedas, crujidos de carros y golpes de cascos de caballos. La carretera daba una vuelta brusca a no más de cincuenta metros del cruce.

–¡Cielo santo! –exclamó la señora Elphinstone–. ¿Adónde nos lleva usted?

Mi hermano paró el coche.

La carretera principal era bravía ola de gentes, catarata de seres humanos que se lanzaban al Norte, empujándose los unos a los otros. Inmensa nube de polvo, blanco y luminoso bajo el sol, envolvía todas las cosas de un velo gris e indistinto, que renovaba incesantemente la densa multitud de caballos y de hombres, de mujeres y de vehículos de toda suerte.

Innumerables voces gritaban:

–¡Adelante! ¡Adelante! ¡Sitio! ¡Sitio!

La gente corría para alcanzar el cruce de la carretera como por entre el humo de un incendio; la multitud bramaba como las llamas de un gran fuego, y era el polvo cálido y asfixiante. A decir verdad, una quinta ardía a corta distancia, aumentando la confusión con los torbellinos de humo negro que lanzaba al camino.

Dos hombres pasaron por delante de ellos. Luego una pobre mujer llorando, que llevaba a cuestas un pesado fardo. Por último un perro perdido, con la lengua fuera, que se volvió desconfiado y reanudó la marcha ante el amenazador gesto de mi hermano.

Por toda la extensión visible del camino de Londres se apiñaba tumultuoso torrente de personas contra las tapias de las quintas que bordean la carretera. Las negras cabezas y las formas oprimidas cobraban claridad al surgir de entre las paredes, pasaban de prisa y fundían sus individualidades en la multitud que se alejaba y desaparecía por último en una nube de polvo.

–¡Adelante! ¡Adelante! ¡Sitio! ¡Sitio! –gritaban las voces.

Las manos de los unos oprimían las espaldas de los otros. Mi hermano, que llevaba el caballo de la rienda, se sentía irresistiblemente atraído, y se aproximaba paso a paso.

Todo fue en Edgware confusión y desorden, todo en Chalk Farm tumultuoso caos, pero aquí la población en masa se ponía en movimiento. Es difícil describir ese ejército. Carecía de carácter personal; las figuras brotaban del recodo, y se desvanecían volviendo las espaldas a nuestro grupo. Por las orillas avanzaban los de a pie, hurtando el cuerpo a los vehículos, empujándose, saltando las cunetas.

Los carros y carruajes se amontonaban y entremezclaban, impidiendo el paso a los más ligeros e impacientes, que a cada momento se precipitaban hacia adelante, obligando a los peatones a apretarse contra las tapias y puertas de las quintas.

–¡Adelante! ¡Adelante! ¡Que vienen! –era el único grito.

En un carretón de mano gesticulaba con sus manos encorvadas un viejo vestido con el uniforme del Ejército de Salvación y profería esta sola palabra:

–¡Eternidad! ¡Eternidad!

Su voz era ronca, pero tan fuerte que mi hermano pudo oírla mucho después de perderlo de vista en la nube de polvo. Los que guiaban los coches daban estúpidos latigazos a los caballos y se querellaban con los cocheros próximos; otros se dejaban llevar, hundidos en los asientos, la mirada errante, el aspecto desconsolado; algunos se roían las manos de sed o yacían postrados en el fondo de los vehículos; los caballos mostraban los ojos inyectados en sangre y cubrían el freno de espuma.

Era incalculable el número de carruajes, coches de alquiler y de almacenes, camiones, un coche de correos, un carro de limpieza con el rótulo «Parroquia de San Pancracio», otro enorme de maderas de construcción lleno de populacho. Pasó el carromato de un cervecero con las dos ruedas teñidas en sangre fresca.

–¡Sitio! ¡Sitio! –bramaban las voces.

–¡Eter-nidad! ¡Eter-nidad! –respondía el eco.

Mujeres bien vestidas de rostro triste y huraño andaban entre la multitud con niños que lloraban y se caían, las telas delicadas cubiertas de polvo, los rostros fatigados, cubiertos de llanto. Iban hombres con ellas, unos para protegerlas, otros para amenazarlas. Se peleaban grupos de vagabundos, vestidos de harapos, insolente la mirada, alta la voz, profiriendo blasfemias. A fuerza de puños se abrían paso vigorosos obreros; miserables criaturas que, por la ropa, parecían ser empleados de almacenes se debatían espasmódicamente. Reparó mi hermano en un soldado herido, en hombres que llevaban el uniforme de empleados de ferrocarriles, y en una desgraciada que se cubría con una capa el camisón.

No obstante su variada composición, ofrecía esta multitud algunos rasgos comunes: había dolor y espanto en todos los rostros, y la consternación parecía seguirlos. Cualquier tumulto, la disputa por un puesto en algún vehículo, hacía apresurarse a todos; hasta un hombre, tan fatigado que se le doblaban las rodillas, sintió durante un momento que le animaban fuerzas nuevas. El polvo y el calor habían ya hecho presa en la multitud; tenían las gentes seca la piel, negros y abiertos los labios. Todas iban sedientas, rendidas, los pies amortecidos. Entre gritos se destacaban las disputas, los reproches, los ayes de cansancio; casi todas las voces eran roncas y débiles. Dominaba una frase:

–¡Paso! ¡Sitio! ¡Que vienen los marcianos!

Ninguno de los fugitivos se detenía; ninguno abandonaba la ola tumultuosa. El camino desembocaba oblicuamente, por estrecha abertura, en la carretera grande que parece ir a Londres. Sin embargo, un remolino de gentes se arrojaba a la desembocadura; los débiles eran lanzados fuera del camino, y permanecían un rato antes de incorporarse de nuevo a la multitud. A poca distancia estaba tendido en el suelo un hombre con una pierna desnuda envuelta por vendas empapadas en sangre. Dos compañeros lo cuidaban. ¡Hombre afortunado que todavía tenía amigos!

Un viejecito de bigote gris y aspecto militar, vestido de grasienta levita negra, llegó cojeando, se sentó, se quitó una bota y el calcetín ensangrentado, sacó una piedra y volvió a andar cojeando. Una niña de ocho o nueve años, que iba sola, se dejó caer contra un árbol junto a mi hermano, exclamando:

–¡No puedo más! ¡No puedo más!

Se sacudió mi hermano el amodorramiento que el asombro le produjo, la cogió en brazos, y hablándole con dulzura, se la llevó a la señorita Elphinstone. Ella se calló, como espantada, al tocarla mi hermano.

–¡Helena! –gritó llorando una voz de mujer en la multitud–. ¡Helena! –y la niña echó a correr, respondiendo:

–¡Madre!

–¡Que vienen! –exclamó un hombre a caballo al pasar por la entrada de la carretera.

–¡Eh, cuidado! –gritó un cochero desde el pescante y penetró un coche en el camino estrecho. Las gentes se apartaron, apiñándose para que el caballo no las atropellara. Era un coche de una lanza, como para dos caballos, pero sólo llevaba uno. Mi hermano hizo recular contra la tapia el tílburi, pasó el coche y se detuvo más allá.

Columbró vagamente mi hermano que dos hombres levantaban algo en una camilla blanca y posaban modosamente el fardo sobre el césped a la sombra de la tapia.

Uno de los hombres corrió hacia mi hermano.

–¿Hay agua por aquí? –preguntó–. Tiene mucha sed; está casi agonizando. Es lord Garrick.

–¡Lord Garrick! –respondió mi hermano–. ¿El presidente del Tribunal Supremo?

–¿Hay agua? –repitió el otro.

–Tal vez la haya en una de estas casas –contestó mi hermano–, pero nosotros no la tenemos y no me atrevo a dejar solas a estas señoras.

El hombre trató de abrirse paso entre los fugitivos para llegar a la puerta de la casa.

–¡Adelante! –gritó la gente, empujándolo–. ¡Adelante! ¡Que vienen!

La atención de mi hermano se distrajo con la presencia de un hombre barbudo, de cara semejante a la de un ave de rapiña, que llevaba cuidadosamente un saquito, el cual se rompió en el momento en que mi hermano le miraba, derramando una masa de libras que se disgregó en mil pedazos de oro. Rodaron las monedas en todos sentidos entre pies de hombres y cascos de caballos. Se detuvo el viejo para contemplar estúpidamente su montón de oro y la lanza de un coche le dio en el hombro, haciéndolo rodar. Lanzó un gemido y la rueda de un carro le rozó la cabeza.

–¡Adelante! –gritaron las gentes a su alrededor–. ¡Abran paso!

Tan pronto como pasó el carruaje se lanzó con las dos manos abiertas sobre su montón de oro y se puso a recogerlo a puñados, llenándose los bolsillos. En el momento de levantarse se encabritó un caballo y lo derribó con los cascos.

–¡Pare! –gritó mi hermano y, separando a una mujer, quiso coger el caballo por la brida.

Antes de conseguirlo oyó un grito bajo el carruaje y vio en el polvo pasar una rueda sobre la espalda del pobre hombre. El cochero dio un latigazo a mi hermano, que echó a correr detrás del coche. El sinnúmero de gritos le ensordecía. El hombre daba vueltas en el polvo sobre su oro desparramado, incapaz de levantarse porque la rueda le había roto el espinazo y tenía insensibles e inertes los miembros inferiores. Mi hermano dio media vuelta y ordenó algo al coche que le seguía. Un hombre a caballo acudió en su socorro.

–¡Sacadle de aquí! –dijo.

Agarrándolo del cuello intentó mi hermano sacar al hombre del camino. Pero el obstinado viejo no quería soltar su oro y lanzaba a su salvador coléricas miradas, golpeándole el brazo con el puño lleno de monedas.

–¡Adelante! ¡Adelante! –gritaban por detrás furiosas voces–. ¡Paso! ¡Paso!

Hubo un crujido súbito y la lanza de un carruaje golpeó el coche cuyo avance detenía el hombre a caballo. Volvió mi hermano la cabeza y el de las monedas de oro mordió la muñeca que le sujetaba el cuello. Hubo un choque; el caballo del jinete fue arrojado a un lado; el del coche también. En poco estuvo que uno de los cascos pisoteara a mi hermano. Soltó la presa y se echó atrás, y luego de perder de vista al hombre del oro, fue arrastrado por la corriente, y le costó luchar con todas sus fuerzas para conseguir volver. Vio a la señorita Elphinstone, que se cubría los ojos con la mano, y a un niño que, con toda la falta de ternura que caracteriza a la infancia, contemplaba con dilatados ojos un objeto polvoriento, negruzco e inmóvil, aplastado y deshecho entre las ruedas.

–¡Vámonos! –exclamó–. No podemos cruzar este infierno –y dio la vuelta al carruaje. Se alejaron un centenar de metros en la dirección por donde habían venido. Al dar la vuelta al camino vieron el rostro del moribundo, horriblemente pálido de sudor, alargadas las facciones. Las dos mujeres permanecían en silencio, acurrucadas en sus asientos, temblorosas.

Poco después se detuvo nuevamente mi hermano. La señorita Elphinstone estaba lívida, y su cuñada se sentó llorando, sin fuerzas ni para llamar a su «George». Mi hermano, espantado y perplejo, se dio inmediatamente cuenta de que era necesario intentar por segunda vez el cruce del torrente. Se volvió de súbito hacia la señorita Elphinstone diciendo:

–Es absolutamente preciso que pasemos por ahí.

E hizo girar al caballo.

De nuevo la muchacha dio pruebas de su gran valor. Para abrirse paso se lanzó mi hermano a lo más recio del torrente y rebasó un coche de alquiler, en tanto que ella guiaba el caballo. La rueda de un camión chocó contra el tílburi levantándole una gran astilla. La corriente los arrastró. Mi hermano saltó al pescante y empuñó las riendas; en la cara y en las manos se le marcaban los latigazos que le soltó un cochero.

–Tenga el revólver –dijo a la señorita– y dispárelo contra quien intente pasar por delante de nosotros... ¡No...! ¡Contra el caballo!

Y aguardó ocasión propicia para llegar al otro lado de la carretera. Pero una vez en la corriente no era ya dueño de sus movimientos, sino una partícula de aquella marea polvorienta. Atravesaron Chipping Barnet y traspusieron otros dos kilómetros antes de conseguir cruzar la carretera. El estrépito y la confusión eran indescriptibles. Pero tanto en la villa como fuera se bifurcaba a menudo el camino, lo que disminuía considerablemente el polvo.

En Hadley consiguieron doblar hacia el Este. Encontraron a los dos lados del camino a multitud de gentes que aplacaban su sed en los arroyos; algunas se peleaban por alcanzar primeramente el agua. Más allá, desde lo alto de una colina cercana a Barnet, vislumbraron dos trenes que avanzaban lentamente hacia el Norte, uno tras otro, sin señales, colmados de gente todos los vagones, las carboneras inclusive. Supuso mi hermano que se habrían llenado fuera de Londres, pues el pánico furioso de la muchedumbre hacía intransitables las estaciones de término.

Hicieron alto ahí durante toda la tarde, porque las violentas emociones de la jornada los habían rendido por completo. Comenzaban a tener hambre; sintieron frío al caer la noche; ninguno de los tres osó dormir. Durante toda la noche pasaron a su lado gran número de gentes que corrían huyendo de peligros ignorados y regresaban en dirección opuesta a la tomada por mi hermano.

17. El *Lanzatruenos*

Si los marcianos no se hubieran propuesto más que destruir, habrían podido el lunes exterminar toda la población de Londres cuando ésta se desparramaba por los condados de los alrededores. Las turbas, frenéticas, se desbordaban no ya sólo en la carretera de Barnet, sino también en las de Edgware y Waltham Abbey, y en las del Este que van a Southend y a Shoeburyness, y en las del sur del Támesis que conducen a Deal y a Broadstairs. Si en aquella mañana de junio hubiera ascendido alguien en un globo, por encima de Londres, bajo el cielo resplandeciente, le habrían parecido cuantas carreteras van al Este y al Norte, surgiendo de entre la infinita confusión de las calles, líneas blancas punteadas de negro por los innumerables fugitivos.

Y cada punto significaba una agonía de terror y de miseria física. En el capítulo anterior me he extendido de largo en la descripción que me hizo mi hermano de la carretera que cruza Chipping Barnet, con objeto de que los lectores puedan darse cuenta de la impresión que producía este hormiguero de puntos negros sobre los que formaban parte de él. Jamás hasta entonces en la historia del mundo se había puesto en movimiento una masa tan grande de seres humanos. Las hordas legendarias de los godos y de los hunos, los ejércitos más terribles que el Asia ha visto nunca, se hubieran perdido en esta inundación. No era una marcha disciplinada, sino una fuga loca, un terror pánico, gigantesco y terrible, sin orden y sin fin; seis millones de personas desprovistas de armas y de víveres, que corrían de cabeza. Era el comienzo de la derrota de la civilización, de la matanza de la humanidad.

Mirando hacia abajo en la línea vertical habría visto el aeronauta extenderse la red inmensa de las calles, las casas, las iglesias, los jardines y los parques ya vacíos, como un mapa ciclópeo en que estuviese toda la parte sur *emborronada de tinta*. Hacia Richmond, Ealing y Wimbledon alguna pluma monstruosa había dejado caer un enorme borrón. Cada mancha negra crecía, se ensanchaba y se ramificaba en todas direcciones; aquí se concentraba en alguna elevación del terreno, allá descendía rápidamente por las cuestas, a la manera de una gota de tinta por un papel secante.

Y más lejos, tras las colinas azules que se elevan al sur del río, iban y venían los marcianos refulgentes, tendían con serenidad y método sus envenenadas nubes sobre esta parte del país, las barrían en seguida con sus chorros de vapor, y cuando quedaba terminada su obra, se posesionaban del terreno conquistado. Parece que su propósito no era tanto el de exterminar la población como el de aterrorizarla demostrando la inutilidad de resistirlos. Hicieron saltar cuantos polvorines encontraron, cortaron las líneas telegráficas y destruyeron por muchos puntos las vías férreas. Hubiérase dicho que partían las piernas del género humano. No mostraban gran apresuramiento en extender su campo de operaciones, y en todo el día no se presentaron en la parte central de Londres. Es posible que un número muy considerable de personas permanecieran en sus casas de la gran ciudad durante toda la mañana del lunes. Es lo cierto, en todo caso, que muchas perecieron allí asfixiadas por el Humo Negro.

Espectáculo pasmoso fue el que los muelles de Londres ofrecieron hasta el mediodía. Vaporcillos y barcos de todas clases, seducidos por las ofertas de los fugitivos, aguardaron hasta última hora, y se dice que muchos de los que alcanzaron a nado los buques fueron rechazados con los garfios, y concluyeron por ahogarse.

A eso de la una de la tarde aparecieron por entre los arcos del puente de Blackfriars los débiles residuos de una nube de vapor negro. En aquel momento fueron escenario los muelles de una confusión loca, de encarnizadas colisiones y batallas. Multitud de barcos y de lanchas chocaron contra un pilar del puente de la Torre; marinos y boteros hubieron de luchar como fieras contra las gentes que asaltaban sus embarcaciones. Eran infinitas las personas que se arriesgaron a nadar por entre los pilares del puente.

Cuando una hora más tarde se presentó un marciano, más allá de la Torre del Reloj, para desaparecer río abajo, sólo tablas y despojos se veían en aquella parte del Támesis.

Hablaré más tarde del quinto cilindro. El sexto cayó en Wimbledon. Mi hermano vio a los lejos su rastro verdoso, por encima de las colinas, cuando velaba en el tílburi, en medio de los campos, el sopor de las dos mujeres. Los tres, decididos a embarcarse en algún sitio, se encaminaron el martes hacia Colchester, a través de la comarca convertida en hormiguero de fugitivos. Se confirmó la noticia de que los marcianos se habían ya posesionado de todo Londres. Se los vio en Highgate, y aún se dice que en Neasden, pero hasta el otro día ni siquiera los vislumbró mi hermano.

El martes, las dispersas muchedumbres comenzaron a sentir la urgente necesidad de víveres. A medida que el hambre aumentaba eran menos respetados los derechos de la propiedad. Los labradores defendían armados sus cuadras, sus graneros y sus cosechas. Muchas gentes se dirigían hacia el Este, como mi hermano; otras regresaban a Londres con la idea de encontrar alimentos. Éstas eran principalmente las que habitaban los arrabales del Norte y sólo conocían de oídas los efectos del Humo Negro. Supo mi hermano que la mitad de los miembros del gobierno se habían reunido en Birmingham, y que se preparaban inmensas cantidades de violentos explosivos para minas automáticas que se emplearían en los condados centrales.

También se dijo que la compañía del ferrocarril de Birmingham, luego de reemplazar el personal que desertó el primer día de pánico, había reanudado el servicio y que muchos trenes salían de St. Albans hacia el Norte, con objeto de amenguar la plétora de gente que se desparramaba por los alrededores de Londres. Un pasquín colocado en Chipping Ongar anunciaba que en las ciudades del Norte había grandes almacenes de harina y que dentro de veinticuatro horas se distribuiría pan a los hambrientos. Pero como esta noticia no les hizo desistir de su plan, los tres prosiguieron durante todo el día su camino hacia el Este. Fuera de la promesa no volvieron a saber cosa alguna del reparto de víveres, verdad que nadie supo más que ellos. Aquella noche cayó en Primrose Hill el séptimo meteoro. Cayó cuando velaba la señorita Elphinstone, quien compartía alternativamente con mi hermano las funciones de centinela. Lo vio caer.

Después de pasar la noche en un campo de trigo verde, llegaron los tres fugitivos a Chelmsford, donde un grupo de vecinos, que se intitulaba «comité de aprovisionamientos», se apoderó del caballo en calidad de provisión, sin devolver en cambio más que la promesa de un pedazo para el día siguiente. Circulaba el rumor de que los marcianos estaban en Epping, y se hablaba también de que habían sido destruidos los polvorines de Waltham Abbey, después de haber intentado infructuosamente despedazar a uno de los invasores.

Desde las torres de la iglesia espiaban algunos hombres la aproximación de los marcianos. Aunque los tres tenían hambre, mi hermano prefirió, por fortuna –y digo por fortuna porque así lo demostraron los hechos posteriores–, continuar su camino hasta la costa, que no esperar problemáticos víveres. A eso del mediodía atravesaron Tillingham, sorprendidos al ver abandonado el lugar por todos los habitantes, fuera de algunos ladrones furtivos que buscaban alimentos. Al trasponer Tillingham halláronse de pronto frente al mar, surcado por una muchedumbre de navíos de todos los tamaños, la más pasmosa que puede concebirse.

En vista de que les era ya imposible remontar el Támesis, los barcos se acercaron a las costas del condado de Essex, a Harwich, a Walton, a Clacton y luego a Foulness y a Shoebury, para embarcar la multitud. Todos estos barcos se alineaban en una curva cuyos extremos se perdían de vista en la niebla hacia el Naze. Cerca del río pululaba una multitud de lanchas de pesca pertenecientes a todas las naciones: inglesas, escocesas, francesas, holandesas, suecas; vaporcitos del Támesis, yates, barcos eléctricos; más lejos los navíos de mayor tonelaje, innumerables barcos carboneros, lindos buques mercantes, transportes de ganado, barcos de pasajeros, transportes de petróleo, buques de vela, un antiguo galeón pintado de blanco, los transatlánticos grisáceos de Southampton y de Hamburgo; y pudo ver vagamente mi hermano, a todo lo largo de la costa azul y allende al canal de Blackwater, cómo una densa multitud de embarcaciones, que casi llegaba a Maldon, conducía a las gentes de las orillas.

A unas dos millas mar adentro había un barco de hierro, muy sumergido en el agua, casi semejante a los despojos de un naufragio, según frase de mi hermano. Era el acorazado *Lanzatruenos,* único navío de guerra al alcance de la vista; pero a lo lejos, mirando a la derecha, tendíase una especie de serpiente de humo negro, que señalaba la presencia de los acorazados de la escuadra del Canal, que cerraba la boca del Támesis, presta a la acción e impotente, sin embargo, para impedir lo que ocurría.

Al ver el mar, la señora Elphinstone se abandonó a su desconsuelo, no obstante las palabras tranquilizadoras de su cuñada. No había salido nunca de Inglaterra, aseguraba que prefería la muerte a verse sola y sin amigos en un país extranjero y seguía hablando en este tono. La pobre mujer parecía imaginarse que franceses y marcianos son de la misma especie. Durante los últimos dos días de viaje se había puesto cada vez más nerviosa, amedrentada y deprimida. Sólo pensaba en volver a Stanmore. Todo en Stanmore seguía como siempre. En Stanmore encontrarían a George...

Les costó gran trabajo hacerla descender a la playa, en donde pudo mi hermano llamar la atención de unos hombres que iban en un vapor que salía del Támesis. Enviaron un bote que los condujo a bordo, a razón de treinta y seis libras por los tres. El vapor, según se les dijo, iba a Ostende.

Eran cerca de las dos cuando mi hermano, luego de pagar en el pasamano el importe del pasaje, se encontró sano y salvo, acompañado de las dos mujeres, en la cubierta del barco. A bordo hallaron alimentos, bien que a precios exorbitantes, y lograron hacer una comida en uno de los asientos de proa.

Encontraron en el vapor unos cuarenta pasajeros, algunos de los cuales se habían gastado hasta el último céntimo en asegurarse el pasaje; pero el capitán permaneció en el canal de Blackwater hasta las cinco de la tarde, aceptando tantos pasajeros, que la cubierta se llenó de un modo peligroso. Hubiera permanecido allí mucho más tiempo de no haberse percibido por la parte sur el ruido de una descarga. Por vía de respuesta el acorazado disparó un cañonazo, e izó una serie de pabellones y señales. Brotaron de sus chimeneas chorros de humo.

Algunos pasajeros opinaban que el cañoneo procedía de Shoeburyness, y se advirtió que el ruido se hacía más intenso de momento en momento. En aquel instante comenzaron a aparecer por el Sudeste los mástiles y las obras muertas de tres acorazados. Pero pronto volvió mi hermano a escuchar el lejano cañoneo que se oía en el Sur. Creyó vislumbrar la ascensión de una columna de humo en la neblina gris. Ya el vaporcillo se dirigía hacia el este de la curva de navíos, y las bajas costas de Essex parecían hundirse en el mar, cuando un marciano, lejano y pequeño al aparecer a lo lejos, se adelantaba por la orilla como si viniera de Foulness. Al verlo el capitán, lleno de cólera y de miedo, se puso a blasfemar y a maldecirse por haber retrasado la salida. Las ruedas del barco parecían contaminarse de su pánico. Todos los pasajeros se agarraban a los bancos de cubierta, a los cabos o a las paredes, para contemplar esa forma distante, más alta que los árboles y que los campanarios, que se aproximaba parodiando a capricho el andar de los hombres.

Como era el primer marciano que veía mi hermano, contempló con más asombro que terror la marcha de aquel titán, que se lanzaba en persecución de los navíos y que a medida que la costa se alejaba se metía más y más en el agua. Y apareció luego otro, allende el canal de Crouch, por encima de los árboles, y luego un tercero, aún más lejano, hundido profundamente en los bajos brillantes de la costa, que parecían estar suspendidos entre el cielo y el agua. Todos se adelantaron hacia el mar, como si hubieran pretendido cortar la retirada a los innumerables barcos que subían la superficie comprendida entre Foulness y el Naze. A pesar de los febriles esfuerzos del vaporcillo y de la espuma que las ruedas formaban, su velocidad era espantosamente lenta, comparada con la de sus siniestros perseguidores.

Mirando hacia el Noroeste vio mi hermano cómo la curva enorme de las embarcaciones era sacudida por el espanto que amagaba; un barco seguía a otro, aquél giraba la proa hacia alta mar, silbaban los transatlánticos vomitando sendas nubes de vapor; los veleros extendían los lienzos; los vaporcillos se deslizaban entre los grandes buques. Le fascinaba tanto el espectáculo y la proximidad del peligro, que nada vio de lo que pasaba en el mar. Una brusca virazón del vaporcillo, dada para evitar un choque, le hizo caer del banco en que se había subido. Todo el mundo lanzó un grito, hubo una exclamación, que le pareció fue contestada débilmente. Dio el vaporcillo otro empujón y volvió a caerse a todo el largo.

Se puso nuevamente en pie, y vio a estribor, a cien metros escasos del barco, una enorme masa de acero que separaba las aguas, como una especie de arado, lanzándolas a uno y otro lado en grandes olas espumosas que embestían contra el vaporcillo, lo levantaban hasta que las ruedas giraban en el aire y luego lo dejaban caer, casi hasta sumergirlo.

Recibió mi hermano una ducha de espuma que no le dejó ver. Cuando pudo abrir los ojos, el monstruo había pasado y se dirigía velozmente a la costa. Enormes torres de acero se levantaban sobre su corpachón. Destacábanse dos chimeneas que vomitaban humo y fuego. El acorazado *Lanzatruenos* acudía en socorro de las embarcaciones amenazadas.

Agarrándose a la borda para que el movimiento no lo lanzara al suelo, consiguió nuevamente contemplar la embestida de aquel enorme Leviatán que se lanzaba contra los tres marcianos. Los tres reunidos avanzaban mar adentro de tal modo que sus trípodes parecían completamente sumergidos. Vistos desde tan lejos eran mucho menos temibles que la inmensa mole de hierro cuya estela hacía bailar nuestro vapor tan lamentablemente. Los marcianos inspeccionaban con extrañeza al nuevo enemigo. Tal vez se figurasen que el acorazado era otro gigante como ellos. El *Lanzatruenos* no disparó ni un cañonazo, limitándose a avanzar a toda máquina. A esto se debió sin duda alguna que los marcianos lo dejaron acercarse tanto. No sabían lo que hacer. Hubiera disparado uno solo de los cañones y el Rayo Ardiente se habría encargado de arrojarlo al fondo de las aguas.

Andaba el acorazado con tal velocidad, que no tardó un minuto en franquear la mitad de la distancia que separaba a los marcianos de nuestro vapor.

De pronto, el más próximo de los invasores bajó el tubo y descargó contra el acorazado uno de sus proyectiles de gas oscuro. Le dio en babor y resbaló arrojando un chorro de tinta, que se desplegó a lo lejos en un torrente de humo negro, a cuyos efectos escapó el barco de guerra. Como el sol poniente nos daba en los ojos y no podíamos ver bien, los pasajeros del vapor nos figuramos que el *Lanzatruenos* había alcanzado ya a los marcianos.

Vimos que las formas gigantescas se encaminaban separadamente a tierra. Uno de los marcianos elevó el generador del Rayo Ardiente, apuntando oblicuamente al mar. A su contacto surgieron de las aguas inmensos chorros de vapor. El Rayo debió de pasar por el flanco del navío como hierro candente sobre una hoja de papel.

Brotó a través del vapor que se elevaba una repentina claridad y el marciano se tambaleó fuertemente. Casi al mismo tiempo fue echado a pique y subió a los aires enorme cantidad de agua y de vapor. Resonó la artillería del *Lanzatruenos* a través del estruendo. Uno tras otro se dispararon sus cañones; una granada pegó en la superficie del mar, no lejos de nosotros, rebotó por entre los barcos que huían hacia el Norte y despedazó una lancha.

Pero nadie se fijó en esto. Al ver hundirse el marciano, el capitán comenzó a proferir inarticulados gritos, que al punto fueron coreados por la multitud de pasajeros. Y volvieron a gritar poco después, porque surgió entre los vapores el acorazado grande y negro, incendiada la parte central, ventiladores y chimeneas vomitando fuego.

El *Lanzatruenos* respiraba aún. Parecía que el gobernalle y las máquinas continuaban funcionando. Embestía en línea recta a un segundo marciano, del que no le separaban más de cien metros, cuando le alcanzó el Rayo Ardiente. Y entonces saltaron en cegadora llama y con violenta detonación chimeneas y torres. El impulso de la explosión hizo bambolearse al marciano y los incendiados despojos del acorazado le dieron con el ímpetu del estallido y lo hicieron pedazos como si fuera de cartón. Mi hermano lanzó un grito involuntario. De nuevo un tumulto de vapor ocultó lo que ocurría.

–¡Dos! –aulló el capitán.

Todo el mundo gritaba. El vapor mismo de popa a proa trepidaba con la frenética alegría que ganó a los innumerables barcos que se dirigían a alta mar.

Durante varios minutos el vapor que del agua se elevaba nos impidió ver la costa y el tercer marciano. Las ruedas del vapor no habían cesado de alejarnos del lugar del combate, y cuando al fin la confusión se fue desvaneciendo, se interpuso una nube del humo negro que escondió definitivamente a nuestros ojos el *Lanzatruenos* y el tercer marciano. Pero los restantes acorazados se acercaron a la costa rebasándonos con rapidez.

Nuestro buque continuaba su ruta hacia alta mar y muy pronto desaparecieron los acorazados en dirección a la costa, oculta a nuestros ojos por una nube compuesta de vapor y de humo negro que se arremolinaba en fantásticos giros. Las embarcaciones fugitivas se esparcían hacia el Nordeste; varios barcos de vela navegaban entre los acorazados y nosotros. Un momento después los navíos de guerra, antes de penetrar en la densa nube negra, volvieron proa al Norte y luego viraron en redondo hacia el Sur y desaparecieron entre la bruma de la tarde. Las costas se esfumaron y desvanecieron entre las franjas de nubes rojas que se reunían en torno al sol poniente.

De pronto oímos los cañonazos y algunas sombras negras se movieron en la dorada neblina del crepúsculo. Todos los pasajeros se acercaron a las barandillas para ver lo que ocurría en el horno refulgente de la luz occidental, pero nada se pudo distinguir con claridad. Enorme volumen de humo nos ocultó el disco solar. El vapor continuaba su marcha, jadeantes las máquinas y presa los pasajeros de interminable angustia.

Se puso el sol bajo las nubes grises, enrojecióse el cielo, se oscureció después; parpadeó en la penumbra la estrella de la noche. Era grande la oscuridad cuando el capitán lanzó un grito tendiendo los brazos al cielo. Miró mi hermano con atención. Del horizonte gris subió a lo alto por encima de las nubes un objeto que con marcha oblicua y rápida brilló en los últimos resplandores del crepúsculo; un objeto plano y gigantesco que luego de describir inmensa curva, de disminuir poco a poco y de hundirse lentamente, se desvaneció en el gris misterio de la noche.

Hubiérase dicho que extendía las tinieblas al pasar.

Libro segundo
La Tierra en poder de los marcianos

1. Bajo tierra

Después de contar lo sucedido a mi hermano vuelvo al relato de mis aventuras propias. Quedábamos en que el vicario y yo nos introdujimos en una casa de Halliford con el propósito de huir del Humo Negro. Allí estuvimos toda la noche del domingo y el siguiente día, que fue el del pánico, como en un islote de aire puro, separados del mundo por un círculo de gas asfixiante. No nos quedaba otro recurso que esperar angustiados, y esto es lo que hicimos durante dos días interminables.

Al pensar en mi mujer se me llenaba el alma de ansiedad. Me parecía verla en Leatherhead, aterrorizada ante el peligro y llorándome como se llora a un muerto. Iba y venía por la casa, y daba gritos al pensar en que me había separado de ella y en lo que pudiera sucederle durante mi ausencia. Es verdad que mi primo era lo suficientemente valeroso para afrontar las circunstancias, pero no era hombre capaz de comprender las cosas de una ojeada y de ejecutar el plan con rapidez. Y lo que hacía falta no era valor, sino reflexión y prudencia. Mi único consuelo era que los marcianos se alejaban de Leatherhead al avanzar hacia Londres. Todos estos vagos temores me sobreexcitaban. Pronto me fatigaron e irritaron las eternas jeremiadas del vicario. Me impacientaba su egoísta desesperación. Después de dirigirle algunos reproches ineficaces, me separé de él, metiéndome en una habitación que contenía globos, bancos, mesas, cuadernos y libros; el salón de una escuela sin duda. Cuando entró el vicario subí las escaleras y me refugié en el desván a solas con mis penas.

Durante todo el día y la mañana siguiente nos cercó el Humo Negro. El domingo por la noche tuvimos evidencia de que estaba habitada la casa vecina: un rostro en la ventana, luces que andaban de un lado para otro, el ruido de una puerta al cerrarse. Pero no supe quiénes eran estas gentes ni lo que fue de ellas. Al día siguiente no volvimos a verlas. El lunes por la mañana bajó al río el Humo Negro, flotando lentamente. A cada momento se nos acercaba más y más, pero desapareció por último sin haber hecho sino rozar la calle de la casa donde nos escondíamos.

A eso del mediodía apareció un marciano, que despejó la atmósfera con un chorro de vapor que silbaba al chocar contra las paredes, hizo pedazos los cristales y escaldó las manos del vicario al salir a todo escape de la estancia. Cuando pudimos caminar por entre los cuartos húmedos para salir al exterior, se hubiera dicho que una tormenta de nieve negra había asolado la comarca. Al mirar hacia el río nos sorprendió que innumerables manchas rojas se mezclaban a las negras de las praderas chamuscadas.

Durante un momento no pudimos darnos cuenta de otra cosa sino de que nos habíamos librado del Humo Negro. Pronto advertí que ya no estábamos sitiados, que podíamos irnos. Al convencerme de esto, sentí que me renacía la actividad. Pero el vicario se hallaba como aletargado.

–¡Aquí estamos seguros! –exclamaba–. ¡Seguros!

Forjé el propósito de abandonarle. ¡Ojalá lo hubiera hecho! Aprovechando la lección del artillero, traté de aprovisionarme de comida y de bebida. Encontré trapos y aceite para mis quemaduras, y cogí también en uno de los dormitorios un sombrero y una camisa de franela. Cuando comprendió el vicario que, decidido a separarme de él, iba a marcharme solo, echó a andar detrás de mí.

Tanto en Sunbury como en el camino tropezamos con cadáveres de caballos y de hombres, que yacían en actitudes contorsionadas, con coches y bultos volcados, todo cubierto de espesa capa de polvo negruzco. Esta mortaja de ceniciento polvo me hizo pensar en lo que había leído de la destrucción de Pompeya. Con el espíritu poblado de fantasmas llegamos sin novedad a Hampton Court, donde sentimos gran alivio al ver que una superficie de hierba se había librado de los efectos del gas asfixiante. Cruzamos el parque de Bushey, en el que saltaban los ciervos por debajo de los castaños; a cierta distancia vimos un grupo de hombres y mujeres que corrían hacia Hampton. Así llegamos a Twickenham.

Aún ardían los bosques a lo lejos, más allá de Ham y de Petersham. Ni el Rayo Ardiente ni el Humo Negro habían hecho ningún daño en Twickenham. Vimos en estas localidades gran número de gentes, pero ninguna supo darnos noticias. La mayor parte se aprovechaban como nosotros de aquel sosiego para mudar de vecindad. Tuve la impresión de que cierto número de casas seguían habitadas por sus inquilinos, sin duda amedrentados en exceso para intentar la fuga. A lo largo del camino encontré señales de la desbandada. Conservo un vivo recuerdo de tres bicicletas rotas y machacadas por las ruedas de los carros. Atravesamos el puente de Richmond a eso de las ocho y media; lo atravesamos a toda prisa, porque allí no había modo de ocultarse, pero pude ver cierto número de manchas rojizas que bajaban con la corriente. No supe de lo que eran –verdad que no tuve tiempo de examinarlas–, pero interpreté su presencia con pensamientos más terribles de lo que merecían. También aquí, en la ribera de Surrey, se extendía el polvo negro que fue antes humo y amortajaba los cadáveres –había una gran hilera cerca de la estación–, pero no volvimos a ver marciano alguno hasta que llegábamos a Barnes.

Reparamos en que tres personas bajaban a todo escape un camino transversal que lleva al río; mas lo restante del lugar parecía desierto. En lo alto de la colina ardían con fuerza las casas de Richmond. Fuera del poblado no se veía en parte alguna rastros del Humo Negro.

Pero de repente, al acercarnos a Kew, llegó corriendo un grupo, y sobre los tejados de las casas, a menos de cien metros, se asomó la cúspide de una máquina marciana de combate. La inminencia del peligro nos dejó despavoridos, porque de haber mirado el marciano en torno de él, habríamos muerto inmediatamente. Estábamos tan aterrorizados, que no nos atrevimos a seguir, y nos echamos a un lado para escondernos en la glorieta de un jardín. Allí se agachó el cura, llorando en silencio, sin moverse.

Como la idea fija de ir a Leatherhead no me dejaba descansar, de nuevo me atreví a salir, al amparo de la penumbra del crepúsculo. Atravesé un vivero de árboles, y por entre una casa que se mantenía en pie, no obstante el incendio, desemboqué en la carretera de Kew. El vicario, a quien había dejado en la glorieta, no tardó en alcanzarme.

Esta segunda salida era la acción más temeraria de mi vida, pues evidentemente nos rodeaban los marcianos. Apenas me alcanzó el vicario, divisamos la primera máquina de combate, o tal vez otra, mucho más allá de las praderas que se extienden hasta Kew Lodge. Cuatro o cinco pequeñas formas negras huían de la máquina que parecía perseguirlas. En tres zancadas se colocó entre ellas, y las formas corrieron en todas direcciones. No se sirvió del Rayo Ardiente para matarlas, sino que las recogió una por una y las debió de poner en el enorme recipiente metálico que llevaba por detrás, a la manera que cuelga un saco de los hombros de un trapero.

Pensé entonces que el propósito de los marcianos podía ser otro que el de exterminar a la humanidad vencida. Nos quedamos un instante como petrificados, dimos la vuelta, nos metimos por una puerta en un jardín tapiado y caímos con fortuna en una zanja, donde nos tendimos a todo lo largo sin atrevernos casi a respirar hasta que cerró la noche.

Debían de ser las once cuando cobramos ánimos para reanudar la marcha, que no emprendimos por la carretera, sino deslizándonos a lo largo de las hileras de árboles y de los sembrados. El vicario miraba a la derecha y yo a la izquierda, temerosos de que surgiera algún marciano de entre la oscuridad que nos rodeaba. Caímos en un paraje chamuscado y ennegrecido, ya tibio y lleno de cenizas, en que yacían cuerpos de hombres, cabeza y pecho horriblemente quemados, pero casi intactas las piernas y las botas.

Aunque todo era en Sheen soledad y silencio, parecía haberse librado la villa de la destrucción. No encontramos cadáver alguno, pero era la noche demasiado oscura para dejarnos ver si los había en las calles laterales. Se quejó mi compañero de fatiga y de sed, y nos decidimos a explorar alguna de las casas que nos rodeaban. La primera en que entramos, no sin que nos costara algún trabajo abrir la ventana, era un chalé apartado, en que no hallamos nada comestible, fuera de un queso enmohecido. Había también agua que beber y una hachuela que prometía ser útil para las próximas fracturas de puertas o ventanas.

Cruzamos la carretera en el punto donde ésta da vuelta para ir a Mortlake. Allí se alza una casa blanca en mitad de un jardín tapiado. Encontramos en la despensa provisiones: dos panes enteros, en una cazuela un trozo de carne cruda y medio jamón. Catalogo con tanta precisión estos alimentos porque de ellos íbamos a vivir durante toda la próxima quincena. En el fondo de un estante había también botellas de cerveza, dos sacos de judías y varias lechugas. Daba la despensa a una especie de carbonera, donde había un montón de leña, una docena de botellas de vino tinto, soperas estañadas, pescado en conserva y dos cajas de bizcochos.

Nos sentamos en la cocina adyacente, permanecimos en la oscuridad –porque no nos atrevíamos a encender un fósforo–, comimos pan y jamón y vaciamos una botella de cerveza. El vicario, todavía amedrentado e inquieto, opinaba que debíamos salir al momento, cosa que no dejó de extrañarme, y yo le rogaba que reparara sus fuerzas comiendo, cuando acaeció la cosa que iba a aprisionarnos.

–Aún no habrán dado las doce –le decía, y nos cegó el resplandor de violenta luz verde. Cuantos objetos contenía la cocina se destacaron fuertemente en ese color, con la sombra negra, y luego todo se desvaneció. Hubo al mismo tiempo un choque como nunca lo he visto ni antes ni después. Siguió inmediatamente a este choque una sacudida que pareció envolvernos; se cascó el vidrio, se abrieron las paredes, y el cielo raso cayó sobre nosotros despedazándose en nuestras cabezas. Yo me caí de bruces contra el picaporte del hornillo y perdí el conocimiento. Mi desmayo duró largo tiempo, según me dijo el vicario; al recobrar el uso de los sentidos los dos seguíamos a oscuras y él me echaba agua a la cara, aunque la suya, según lo vi más tarde, estuviera cubierta de sangre, a consecuencia de una herida en la frente.

Durante algún tiempo me fue imposible recordar lo que había ocurrido.

–¿Se encuentra usted mejor? –me preguntó el vicario en voz muy baja.

Al fin pude responderle y quise ponerme en pie.

–No se mueva –me dijo–; el suelo está cubierto de pedazos de rejilla. No podrá moverse sin hacer ruido y me figuro que *ellos* están ahí fuera.

Nos quedamos callados, conteniendo el aliento. Reinaba una tranquilidad de muerte, aunque a cada rato caía a nuestro alrededor un trozo de yeso o algún ladrillo roto, produciendo gran estrépito. Cerca de nosotros, por la parte de fuera, se oía un rechino metálico e intermitente.

–¿Oye usted? –me preguntó el vicario cuando se percibió de nuevo el rechinamiento.

–Sí; pero ¿qué es eso?

–¡Un marciano!

Escuché de nuevo.

–No se parece al ruido del Rayo Ardiente –dije, y creí un instante que alguna de las grandes máquinas habría chocado contra la casa, como aquella que demolió la torre de la iglesia de Shepperton.

Era tan extraña e incomprensible nuestra situación, que no nos atrevimos a movernos durante tres o cuatro horas. Luego se filtró la luz, mas no por la ventana, que seguía en la sombra, sino por un boquete triangular en la pared situada a espaldas de nosotros, entre una viga y un montón de ladrillos rotos. Por vez primera pudimos vislumbrar el interior de la cocina.

La ventana se había roto al peso de un montón de tierra vegetal que cubría la mesa en que habíamos comido y nos llegaba a los pies. En la parte de fuera la tierra casi tapaba la casa y se veía por la ventana un fragmento de la cañería de agua. El piso estaba lleno de quincalla despedazada, y como la luz entraba por la cocina destrozada, situada en un extremo de la casa, era evidente que la mayor parte de ésta se había derrumbado. Contrastando vivamente con estas ruinas, el limpio aparador, pintado de verde claro –color de moda–, lucía vajillas de cobre y de estaño; el papel de la habitación fingía con sus dibujos azules y blancos azulejos, y ondulaban en las paredes de la cocina, por encima del horno, algunos grabados en colores.

Al clarear la aurora pudimos distinguir mejor a través de la brecha el cuerpo de un marciano apostado de centinela junto a un cilindro aún incandescente. Al verlo nos retiramos de las penumbras de la cocina arrastrándonos a la oscuridad de la carbonera.

Y de pronto brotó en mi espíritu la interpretación exacta de estas cosas...

–¡El quinto cilindro! –murmuré–. ¡Ha caído sobre esta casa el quinto cilindro y nos ha enterrado bajo los escombros!

Calló el vicario un rato y luego susurró:

–¡Que Dios se apiade de nosotros!

Al poco rato le oí lloriquear.

Fuera de este ruido era en la carbonera absoluto el silencio. Yo, por mi parte, apenas me atrevía a respirar y me quedé sentado, fijos los ojos en la claridad débil que entraba por la puerta de la cocina. Apenas distinguía la cara del vicario –un óvalo difuso–, sus puños y su cuello. Comenzó en la parte de fuera un martilleo metálico, al que siguió violento grito, y luego, tras un silencio, un silbido semejante al de una máquina. Estos ruidos, problemáticos la mayoría, continuaron intermitentemente y parecían menudear a medida que pasaba el tiempo. Comenzó luego una serie de sacudidas acompasadas, que hacían vibrar la habitación y saltar y sonar las vasijas del aparador. Por un momento fue eclipsada la luz y se puso completamente negro el fantástico cuadro que formaba la puerta de la cocina; nos quedamos agazapados muchas horas, silenciosos y estremecidos, hasta que la atención fatigada se nos desvaneció...

Por último me desperté muerto de hambre. Me inclino a creer que debió de pasar la mayor parte del día antes de que nos despertáramos. El hambre se hizo tan imperiosa que me obligó a moverme. Le dije al vicario que iba a buscar víveres, y me encaminé a tientas a la despensa. No me respondió, pero, tan pronto como hube comenzado a comer, el ligero ruido que hice le incitó a moverse y le oí arrastrarse en pos de mí.

2. Lo que vimos desde las ruinas

Después de comer volvimos a la carbonera, donde debí de dormitar de nuevo porque me encontré solo al despertarme. Continuaban las sacudidas acompasadas con persistencia dolorosa. Llamé varias veces al vicario en voz baja y al cabo me dirigí a la cocina. Era aún de día; me lo encontré en el otro lado de la habitación, junto a la brecha triangular con vistas a los marcianos. Tenía las espaldas encorvadas y no le veía la cabeza.

Oía ruidos semejantes a los de una bomba, y la casa temblaba a los golpes. A través de la grieta de la pared veía la cima dorada de un árbol y el azul intenso del tranquilo firmamento crepuscular. Durante uno o dos minutos me quedé contemplando al vicario y avancé luego, paso a paso, con grandes precauciones, por los pedazos de vajilla que cubrían el suelo.

Tropecé con la pierna del vicario, quien se puso a temblar de modo tan violento, que se desprendió un pedazo de yeso de la pared, produciendo grande estrépito al caer fuera. Lo agarré del brazo para que no gritara y estuvimos largo rato sin movernos. Como al desprenderse el yeso había abierto en las ruinas una hendidura vertical, pude ver, apoyándome con cuidado en una viga, lo que era entonces la tranquila calle de la víspera. Grande fue la transformación que contemplamos.

El quinto cilindro debía de haber caído en mitad de la casa que visitamos primeramente. Las paredes, machacadas, pulverizadas y dispersas a consecuencia del choque, habían desaparecido. El cilindro yacía mucho más bajo que los cimientos en un agujero bastante mayor que el de Woking. La tierra había sido salpicada –salpicada es la palabra– como fango a los golpes de un martillo, en todas direcciones, y formaba montones que ocultaban las casas vecinas. Nuestra casa se derrumbó hacia atrás, destruida la fachada por completo; sólo la cocina y la carbonera habían escapado de milagro, aunque estaban enterradas por escombros y montones de tierra. Nuestra única salida era el inmenso agujero circular que seguían abriendo los marcianos. Nos hallábamos, por lo tanto, en el mismo borde de este gran hoyo. Los martillazos que oíamos se daban, sin duda alguna, a nuestra espalda. De cuando en cuando subía por el boquete de nuestro escondrijo brillante vapor verde.

En el centro del hoyo estaba el cilindro, abierto ya. En la otra orilla se alzaba contra el cielo de la noche una enorme máquina de combate abandonada por su marciano, rígida y gigantesca. Pero al principio no reparé ni en el agujero ni en el cilindro, a causa del extraordinario y brillante mecanismo que trabajaba en la excavación y de las extrañas criaturas que se arrastraban penosa y lentamente por los montones de tierra.

El mecanismo me llamó la atención. Era uno de esos sistemas complicados que luego se denominaron Máquinas de Mano, y cuyo estudio ha proporcionado tan poderoso impulso al desarrollo de la mecánica terrestre. Tal como se me apareció ofrecía el aspecto de una especie de araña metálica, con cinco piezas articuladas y ágiles y un número extraordinario de varillas y palancas, también articuladas, y de tentáculos que tocaban y agarraban las cosas en derredor del cuerpo. Tenía doblados la mayoría de los brazos, pero con tres largos tentáculos atrapaba las palancas, las planchas y las varillas que revestían las paredes del cilindro y las reforzaban, en apariencia al menos. A medida que los tentáculos se apoderaban de estos objetos los iban dejando en una superficie de tierra plana.

El movimiento de la máquina era tan rápido, complejo y perfecto que, no obstante sus reflejos metálicos, no podía creer al principio que se tratara de un mecanismo. Las máquinas de combate estaban coordinadas y animadas en grado extraordinario, aunque no comparable al de estas máquinas. Los que no las hayan visto, y sólo se informen de lo que eran en los recuerdos inexactos de los dibujantes o en los relatos forzosamente imperfectos de los testigos oculares como yo, es muy difícil que se imaginen el carácter de seres vivos que las tales máquinas presentaban.

Recuerdo las ilustraciones de uno de los primeros folletos que se intitularon *Historia completa de la guerra*. El artista evidentemente había estudiado muy de prisa las máquinas de combate y en esto se reducía su conocimiento de la mecánica marciana. Nos presentaba trípodes rígidos y en pie, sin ninguna flexibilidad ni sutileza. El efecto monótono de sus dibujos es completamente falso. Este folleto alcanzó gran aceptación. Si hablo de él es para prevenir al lector contra las impresiones que le haya despertado. Todo esto no se parecía a los marcianos que yo vi trabajar, sino como un muñeco de cartón a un ser humano. A mi juicio, estaría mejor el folleto sin las ilustraciones.

Ya he dicho que la Máquina de Mano no me pareció al principio un mecanismo, sino una criatura semejante a un cangrejo de mar de tegumento resplandeciente, que era el revisador marciano, cuyos delicados tentáculos originaban los movimientos. Parecía ser sólo lo equivalente a la parte cerebral del cangrejo. Advertí entonces la semejanza de su tegumento gris, oscuro y brillante como cuero, con el de otros cuerpos que se arrastraban en torno de él, y entonces se esclareció a mis ojos la índole verdadera del hábil obrero. Después de hacer este descubrimiento, me llamaron la atención las otras criaturas: los marcianos reales. Como ya los había visto de pasada no volvieron a turbar mis observaciones las náuseas que sentí cuando los contemplé por vez primera. Además, estaba escondido e inmóvil y nada me impulsaba a cambiar de sitio.

Ahora veía que se trataba de las criaturas menos terrestres que es posible imaginar. Eran grandes cuerpos redondos, o más bien grandes cabezas redondas, de unos cuatro pies de diámetro, con una cara. Esta cara carecía de narices –los marcianos parecen no tener olfato–, pero sí tenían ojos oscuros y muy grandes, e inmediatamente debajo una especie de pico carnoso. Detrás de esta cabeza o de este cuerpo –no sé qué palabra debo emplear– había una estirada superficie timpánica, que luego se ha sabido era una oreja, aunque debía de serles casi completamente inútil en nuestra atmósfera, demasiado densa. Agrupados alrededor de la boca tenían dieciséis tentáculos delgados, casi como puntas de látigo, dispuestos en dos manojos de a ocho. Nuestro distinguido anatomista, el profesor Howes, ha calificado estos manojos de *manos*.

Cuando vi a los marcianos por vez primera parecían querer levantarse con estas manos; pero esto, naturalmente, les era imposible, a causa del mayor peso de su cuerpo en la Tierra. Se puede suponer con fundamento que en Marte caminan sobre tales manos sin gran dificultad.

Su anatomía interna era igualmente muy sencilla, según lo ha demostrado después su disección. La parte más importante de su estructura era el cerebro, que enviaba nervios enormes a los ojos, el oído y los tentáculos táctiles. Tenían además complejos pulmones, en los cuales se abrían la boca, el corazón y los vasos. El malestar pulmonar que les originaba el mayor peso y densidad de nuestra atmósfera se hacía patente en los movimientos convulsivos de su cubierta exterior.

A esto venía a reducirse el conjunto orgánico de un marciano. Por muy extraño que esto parezca a un hombre, lo cierto es que carecen los marcianos de todo ese complejo aparato digestivo que constituye la mayor parte de nuestro cuerpo. Eran cabezas, nada más que cabezas. Carecían de entrañas. No comían, ni mucho menos digerían. En vez de esto chupaban la sangre fresca de otras criaturas vivas y se la *inyectaban* en sus propias venas. Yo mismo los he visto entregarse a esta operación, y hablaré de ella cuando llegue el caso. Aunque sean molestos mis escrúpulos, no me resuelvo a describir lo que no pude contemplar hasta el fin. Baste saber que luego de recoger la sangre de un ser aún vivo –la de un hombre generalmente– la traspasaban por medio de una minúscula pipeta a un canal receptor.

Son innegables las ventajas fisiológicas de inyectar la sangre si se piensa en las tremendas pérdidas de tiempo y de energía que nos ocasionan los procesos de comer y digerir. La mitad de nuestro cuerpo lo ocupan glándulas, vasos y órganos cuya misión consiste en convertir en sangre una alimentación heterogénea. El proceso digestivo y su reacción sobre el sistema nervioso minan nuestra salud y extenúan nuestro ánimo. Los hombres son felices o desgraciados según tengan sanos o enfermos el hígado y las glándulas gástricas. Los marcianos están muy por encima de todas estas fluctuaciones orgánicas del temperamento y de las emociones.

Se explica en parte que suelan preferir a los hombres para su alimentación por la naturaleza de los restos de las víctimas que trajeron consigo desde Marte en calidad de provisiones. A juzgar por los arrugados cadáveres que han caído en poder de los hombres, esas criaturas eran bípedos, de frágiles esqueletos silíceos (parecidos a los de las esponjas), músculos débiles, unos seis pies de altura y cabezas redondas y erguidas con grandes ojos en órbitas petrificadas. Parece que en cada cilindro venían dos o tres y que todos fueron muertos antes de llegar a la Tierra. Lo mismo hubiera sido que los dejaran vivos, porque al solo esfuerzo de sostenerse en pie sobre nuestro planeta se les habrían roto todos los huesos del cuerpo.

Ya que me he entretenido en esta descripción, añadiré algunos detalles que, aunque entonces los desconociera, servirán para que el lector se forme más clara idea de tan agresivas criaturas.

En otros tres puntos se diferenciaba radicalmente su fisiología de la nuestra. Sus órganos no duermen, así como no lo hace el corazón del hombre. Como carecen de un mecanismo muscular cuyas fuerzas haya que reponer, ignoran lo que son nuestros descansos periódicos. Parece que no experimentan la sensación de la fatiga o que es en ellos muy ligera. Aunque les costaba considerable esfuerzo moverse en nuestra atmósfera, su actividad duró hasta el último momento. Cada veinticuatro horas proporcionaban otras tantas de trabajo, como tal vez ocurre con nuestras hormigas.

En segundo término –aunque el fenómeno parezca milagroso a nuestro mundo sexual–, los marcianos carecen de sexo y de todas las emociones tumultuosas que provoca en el género humano la diferencia entre la hembra y el macho. Es indiscutible que nació un marciano en nuestro planeta durante la guerra; se le encontró pegado a su padre, como capullo *a medio abrir,* al modo que brotan los bulbos en los lirios o los animálculos[1] en los pólipos de agua dulce.

Este sistema de reproducción ha desaparecido en los animales más elevados de la escala zoológica terrestre, pero fue sin duda el primitivo, aun en nuestro planeta. Ambos sistemas se dan juntos en los animales inferiores, hasta en los membranosos, lejanos primos de los vertebrados, mas al fin el método sexual ha sustituido por completo a su competidor. En Marte, sin embargo, ha debido de ocurrir lo contrario.

Es digno de notarse que un escritor de reputación casi científica profetizó, largo tiempo antes de la invasión marciana, que el hombre acabaría por adquirir una estructura no muy distinta a la de los marcianos actuales. Recuerdo que se insertó su profecía en noviembre o diciembre de 1893 en el *Pall Mall Budget,* publicación fenecida hace tiempo, y que poco después otro periódico premarciano, el *Punch,* publicó una caricatura de ese tipo. Indicaba en tono humorístico que el perfecciona-

1. Animal microscópico.

miento de la mecánica aplicada acabaría por hacer innecesarias las piernas, y el perfeccionamiento de la química, la digestión, añadiendo que no serían esenciales al hombre el cabello, la nariz externa, los dientes, las orejas y la barba, y que la tendencia de la selección natural iría disminuyendo gradualmente en las edades venideras el tamaño de dichos órganos. Sólo el cerebro será de absoluta necesidad, y sólo otra parte del cuerpo conserva grandes probabilidades de supervivencia: la mano, «maestra y obrera del cerebro». Mientras el resto del organismo está condenado a disminución perpetua, las manos parecen destinadas a crecer.

Muchas verdades se han dicho en broma. Indiscutiblemente, los marcianos representan la supresión de la parte animal del organismo realizada por la inteligencia. Es presumible, a mi juicio, que desciendan los marcianos de seres parecidos a nosotros y que esta transformación se haya operado mediante el desarrollo gradual del cerebro y de las manos (las últimas hasta formar los dos racimos de tentáculos delicados) a expensas del resto del cuerpo. Al suprimirse el cuerpo, el cerebro se trueca en una inteligencia más egoísta, sin ninguno de esos «sustratos» emocionales que caracterizan al ser humano.

El último punto notable en que difiere del nuestro el sistema de estas criaturas pudiera creerse que carece de importancia. Los microbios, que ocasionan tantos dolores y enfermedades en nuestro planeta, son desconocidos en Marte, o al menos la ciencia sanitaria de los marcianos ha debido de eliminarlos hace ya muchos siglos. Jamás se mezclan en el curso de su vida esos cientos de enfermedades, tales como las fiebres, y las contagiosas, tisis, cánceres, tumores. Y ya que estoy hablando de las diferencias entre la vida de Marte y nuestra vida, indicaré algo respecto a la Hierba Roja.

A lo que parece, en el reino de Marte domina un color rojo de sangre, en lugar del verde que en el nuestro se ve. Lo cierto es que de las semillas que consigo se trajeron los marcianos (intencionada o accidentalmente) surgieron plantas rojas. Sólo la que vulgarmente se llama Hierba Roja logró ganar algún terreno al competir con las formas terrestres. La Enredadera Roja floreció transitoriamente; pocos hombres lograron verla. Pero la Hierba Roja se extendió durante cierto tiempo con fuerza y esplendor sorprendentes. Brotó en las paredes del agujero al tercero o cuarto día de nuestro encierro, y su ramaje, parecido al del cacto, formó una banda color carmín en los bordes de nuestro boquete triangular.

Tienen los marcianos por órgano auditivo una especie de tambor redondo en la espalda de su cuerpo-cabeza. El alcance de sus ojos no difiere mucho del nuestro; pero, según Philips, no distinguen los colores violeta y azul del color negro. Se ha supuesto que se comunican entre sí por medio de sonidos o de gestos tentaculares. Esto se dice, por ejemplo, en el folleto a que antes he aludido, cuyo hábil, aunque ligero autor, no fue evidentemente testigo presencial de los movimientos que describe. Este folleto ha sido, sin embargo, la fuente principal de conocimiento en lo que se refiere a los marcianos. Pero nadie los ha visto trabajar tanto tiempo como yo. No es que yo quiera acreditarme porque sí, es que así son los hechos. Y aseguro que los observé de cerca una y otra vez, y que he visto a cuatro, a cinco y hasta a seis marcianos ejecutar las operaciones más complicadas sin cambiar un sonido ni un gesto. Su peculiar grito precede invariablemente a la acción de comer, carece de modulaciones y no creo que signifique cosa alguna, sino únicamente la espiración de aire que prepara la succión. Tengo cierto derecho a hablar de mis conocimientos psicológicos, siquiera elementales, y puedo afirmar mi absoluta convicción de que los marcianos se comunican sus pensamientos sin necesidad de intermediarios físicos. Y me he convencido de esto, no obstante arraigadísimos prejuicios, porque, como pueden recordar mis lectores, me había significado antes de la invasión marciana por mis vehementes ataques contra la teoría telepática.

Los marcianos no usaban vestidos. Sus concepciones del adorno y del decoro son necesariamente distintas de las nuestras, y no tan sólo eran mucho menos sensibles que nosotros a los cambios de temperatura, sino que tampoco las variaciones del barómetro los afectaban seriamente. Pero aunque no llevaban vestidos, su superioridad sobre nosotros se mostraba en el uso que hacían de otros añadidos artificiales.

Nosotros, con nuestras bicicletas y nuestros patines, nuestras máquinas volantes Lilienthal, nuestros fusiles y bastones, estamos en el comienzo de la evolución realizada por los marcianos. Se han convertido en cerebros que se ponen distintos cuerpos, según sus necesidades, a la manera que el hombre viste distintos trajes según el tiempo, y monta en bicicleta si tiene prisa o coge un paraguas en caso de lluvia.

Pero nada es tan curioso como el hecho de que para todas estas aplicaciones hayan prescindido de lo que constituye el rasgo prominente en las invenciones mecánicas del hombre: la *rueda*. En ninguno de los artefactos que trajeron a este mundo se ha encontrado rastro de que usaran las ruedas. Al menos en la locomoción yo esperaba ver alguna. Pero bueno es advertir que ni en este planeta ha hecho la Naturaleza caso de las ruedas, sino que ha preferido otros sistemas. Y no sólo se han abstenido los marcianos de emplear las ruedas (porque es increíble que las desconocieran), sino que es muy limitado el uso que hacen en sus aparatos de los ejes fijos o relativamente fijos para los movimientos circulares circunscritos a un plano. Casi todas las articulaciones de su maquinaria ofrecen un sistema complicado de partes resbaladizas, que se mueven sobre pequeños cojinetes de fricción bellamente encorvados. También es digno de notarse que las alargadas palancas de sus máquinas se mueven por una especie de supuesta musculatura de discos encerrados en una funda elástica, y que estos discos se polarizan y se encogen con fuerza cuando se los somete a una corriente eléctrica. De este modo se realiza ese curioso paralelismo de los movimientos animales que tanto han sorprendido a nuestros sabios. Había muchos de estos músculos en la Máquina de Mano que desempaquetaba el cilindro, cuando por primera vez nos asomamos a la hendidura. Parecía mucho más viva que los mismos marcianos, cuyos cuerpos, iluminados por el sol crepuscular, respiraban con angustia, agitaban en vano los tentáculos y se movían débilmente después de su jornada a través del espacio.

Mientras los observaba con cuidado para no perder detalle, el vicario me recordó su presencia tirándome del brazo. En su ceñudo rostro y en sus labios silenciosos adiviné que también él necesitaba mirar por la hendidura, cuyo tamaño no consentía que nos asomáramos los dos al mismo tiempo. Renuncié a mi examen mientras él disfrutaba de este privilegio.

Cuando volví a mirar, la activa Máquina de Mano había ya reunido las diversas piezas extraídas del cilindro en una forma que se asemejaba de una manera inequívoca a la suya. A la izquierda se veía una máquina de excavaciones que daba vueltas en torno al agujero y amontonaba la tierra con método y discernimiento. Esto era lo que producía los regulares y rítmicos golpes que hacían temblar nuestro ruinoso asilo. La máquina silbaba y rechinaba al trabajar. Por lo que pude ver, se movía sola, sin que la dirigiera ningún marciano.

3. Los días de encierro

La llegada de una segunda máquina de combate nos obligó a abandonar nuestro boquete y a encerrarnos en la carbonera, temerosos de que los marcianos pudieran reparar en nosotros a través del agujero. Después se nos fue quitando el miedo al pensar en que visto nuestro retiro con ojos ofuscados por la luz del sol, parecería un nido de tinieblas impenetrables. Pero al principio el menor movimiento de aproximación nos hacía retirarnos a la carbonera con el corazón subido a la garganta. Sin embargo, a pesar del grave peligro en que incurríamos, nuestra curiosidad era irresistible. Ahora recuerdo con cierto asombro que, a despecho de que nos amenazaba el peligro de morir de hambre o el de perecer de modo aún más terrible, nos disputábamos el privilegio de ver lo que pasaba en el exterior. Cruzábamos la cocina con andares grotescos, queriendo al mismo tiempo llegar cuanto antes y no hacer ruido, y tropezábamos el uno contra el otro, nos empujábamos, nos propinábamos fuertes pisotones a dos dedos de la muerte.

El hecho es que nuestras maneras respectivas de pensar y de ser eran por completo incompatibles y que el aislamiento y el peligro acentuaban esta incompatibilidad. Ya en Halliford comenzaron a hacérseme insoportables las muecas y las tretas del vicario, sus exclamaciones inútiles y su estúpida rigidez intelectual. Sus murmullos y monólogos sin fin inutilizaban todos mis esfuerzos mentales por bosquejar un plan de salvación y, como me era imposible librarme de sus lamentaciones, acababa por llegar a estados de loca exasperación. Como mujer histérica, era incapaz de refrenarse. Durante horas y más horas se ponía a llorar; he llegado al firme convencimiento de que este niño mimado de la vida creyó hasta el último momento que sus lágrimas le serían de alguna eficacia. Tenía yo que permanecer sentado en la oscuridad, sin poder apartar mi pensamiento de sus impertinencias. Comía más que yo, y era en vano decirle que nuestra única esperanza consistía en quedarnos en la casa hasta que los marcianos abandonaran el agujero y que en esta espera, probablemente larga, llegaría el momento en que nos faltasen los víveres. Comía y bebía impulsivamente, atracándose a largos intervalos. Dormía poco.

A medida que pasaban los días, su absoluto descuido de toda consideración acrecía e intensificaba de tal modo nuestra miseria y nuestro peligro, que tuve que recurrir primero a las amenazas y después a los golpes, por mucho que esto me repugnara. Estas ideas le volvieron cuerdo por algún tiempo. Pero era una de esas criaturas débiles y llenas de marrullerías que no hacen frente ni a Dios ni a los hombres, ni siquiera a sí mismas, almas huecas de orgullo, timoratas, anémicas, odiosas.

Me es desagradable recordar y escribir esto, pero lo hago para que nada falte a mi relato. Cuantos no hayan conocido estos oscuros y terribles aspectos de la vida censurarán mi barbarie y mi acceso de furor en la tragedia última. Censurarán con ligereza, porque, aunque sepan lo que está mal, ignoran lo que se puede hacer de un hombre torturado. Pero cuantos hayan vivido en estas sombras, cuantos hayan bajado al fondo de las cosas, me juzgarán con caridad más amplia.

Y mientras dentro nos disputábamos calladamente en vagas respuestas de murmullos y nos arrebatábamos el alimento y la bebida y nos pegábamos y retorcíamos las manos, allá fuera, bajo el sol implacable de aquel junio terrible, se mostraba la maravilla extraña, la sorprendente actividad de los marcianos. Vuelvo a hablar de mis primeras experiencias. Después de largo tiempo me atreví de nuevo a acercarme al boquete, y me encontré con que los recién venidos habían sido reforzados por los ocupantes de tres máquinas de combate. Estos últimos trajeron consigo nuevos aparatos, que eran colocados metódicamente alrededor del cilindro.

Ya montada la segunda Máquina de Mano, se ocupaba activamente en manejar uno de los nuevos aparatos aportados por las máquinas grandes. Era un volumen parecido a una gran jarra de leche, y encima de él oscilaba un recipiente en forma de pera, de donde se escapaba un hilo de polvo blanco que caía en una jofaina circular.

Uno de los tentáculos de la Máquina de Mano imprimía este movimiento oscilatorio. La máquina cavaba la tierra y extraía la arcilla con dos apéndices en forma de espátula y la depositaba en el recipiente superior, mientras con otro brazo abría a regulares intervalos una puerta y sacaba de la parte media de la máquina escorias negras y rojizas. Otro tentáculo metálico arrojaba el polvo de la jofaina en un canal guarnecido de listones, por el que iba un receptáculo oculto a mi vista por el montículo de polvo azulado. De este receptáculo invisible subía verticalmente al aire tranquilo un hilo débil de humo verde. Mientras yo la miraba produjo la Máquina de Mano un tañido musical al extender uno de sus tentáculos a la manera que se extiende un telescopio: lo que era prominencia insignificante se alargó hasta desaparecer una punta tras el montón de arcilla. Un segundo después levantaba una barra de blanco aluminio, aún no empañado, que brilló en los aires deslumbradoramente, y fue depositada en una pila de barras idénticas, colocadas al borde de la fosa. Desde que el sol se puso hasta que cerró la noche, esta hábil máquina debió de haber extraído de la arcilla bruta más de cien barras de aluminio, y el montón de polvo azulado creció hasta alcanzar el borde del hoyo.

Era grande el contraste entre los rápidos y complicados movimientos de estos aparatos y la inerte y jadeante tosquedad de sus amos. Tuve que repetirme muchos días que eran estos últimos los seres vivos, y no llegué a convencerme del todo.

Estaba el vicario en la hendidura cuando llevaron al cilindro a los primeros hombres. Yo me hallaba sentado más abajo en cuclillas y era todo oídos. Reculé violentamente y sufrí un espasmo de terror al pensar que nos pudieran haber visto. El vicario se deslizó en la oscuridad y se agachó a mi lado gesticulando silenciosamente; durante un momento compartí sus terrores. Comprendí en sus gestos que dejaba el boquete, y después de un rato la curiosidad me dio valor, me levanté, pasé sobre su cuerpo y me encaramé al boquete. Al principio no vi nada que justificara sus terrores. Era completamente de noche; las espaciadas estrellas brillaban débilmente, pero el pozo estaba iluminado por las verdes llamaradas que producía la fabricación de aluminio. El escenario presentaba un cuadro tembloroso de verdes claridades y de sombras negras, vagas y movedizas, que cansaba la vista de manera extraña. Por encima revoloteaban los murciélagos, sin cuidarse poco ni mucho de estas cosas. Ya no se veía ningún marciano rastrero, porque el montón de polvo azul verdoso había crecido hasta tapármelos. Del otro lado del agujero se agazapaba una máquina de combate, con las piernas contraídas, y entre los rechinamientos de las otras máquinas me pareció oír un griterío de voces humanas, hipótesis que rechacé al momento.

Me puse a observar de cerca esta máquina de combate, asegurándome por primera vez de que contenía realmente a un marciano. Cuando subieron las llamas verdes pude ver el reflejo aceitoso de su tegumento y el resplandor de sus ojos. Oí de súbito un grito y vi que un largo tentáculo alcanzaba por encima de los hombros de la máquina una especie de caja pequeña, que le salía en la espalda a modo de joroba. Entonces una cosa que se debatía con violencia fue levantada al cielo, formando un enigma vago y oscuro contra la bóveda estrellada; bajó esta cosa y la claridad verde me dejó ver que era un hombre. Hubo un instante en que se destacó con precisión. Era, en efecto, un hombre de mediana edad, vigoroso, colorado, bien vestido; tres días antes debía de pasearse por el mundo con aires de importancia. Le pude ver los ojos aterrorizados y los reflejos de las llamas en los gemelos de la camisa y en la cadena del reloj. Desapareció detrás del montículo y no se oyó el menor ruido durante un rato. Y luego comenzó a escucharse una serie de alaridos de hombre y un ruido alegre y continuo que producían los marcianos...

Bajé del montón de escombros, me puse en pie, me tapé los oídos y me escondí en la carbonera. El vicario, que permanecía agachado y silencioso, con los brazos sobre la cabeza, levantó los ojos a mi paso, se puso a gritar a voz en cuello, quejándose de mi abandono y me alcanzó corriendo...

Toda la noche la pasamos en la carbonera tendiendo los ojos a la grieta, que nos fascinaba y horrorizaba a la vez. Traté de formular un plan de evasión, pero no pude, aunque comprendía la urgente necesidad de hacer algo. Yo veía que el vicario era incapaz de discutir nada serio. Sus extraños terrores le habían privado de todo poder de razonar o de prever las cosas. En realidad, había caído al nivel de las bestias. Y con todo, me decidí a acabar de una vez y, a medida que examinaba los hechos, advertía que por terrible que fuese nuestra situación no había motivos para desesperarse totalmente. Nuestras esperanzas se basaban en la posibilidad de que los marcianos no aprovechasen sino temporalmente este agujero como campamento; aun dado el caso de que lo conservaran de modo permanente, era probable que no creyeran necesario vigilarlo, y siempre nos quedaba alguna esperanza de escaparnos. También pensé en las probabilidades de abrirme un camino subterráneo que diera a la parte opuesta al cilindro, pero al principio me pareció que no podría salir a parte alguna sin que me vieran los marcianos. Además, habría tenido que hacer yo mismo todo el trabajo, porque el vicario no me habría ayudado.

Si me es fiel la memoria, fue al tercer día de mi encierro cuando vi matar a un hombre. Ésta fue la única ocasión en que presencié realmente cómo un marciano toma sus alimentos. Después de este espectáculo evité asomarme a la grieta durante más de un día. Me fui a la carbonera y me puse a cavar con mi hachuela varias horas seguidas lo más silenciosamente que pude; pero cuando logré abrir un agujero de varios pies, la tierra recientemente amontonada contra la casa se hundió bruscamente y no me atreví a continuar. Perdí el valor y me tumbé en el suelo, procurando no hacer el menor movimiento. Después de este ensayo renuncié definitivamente al propósito de escaparme por una excavación.

Dice mucho respecto a la impresión que en mí causaron los marcianos el hecho de que desde el principio no esperase ser liberado gracias a algún esfuerzo humano que pudiera destruirlos. Pero el cuarto o quinto día oí un ruido sordo, semejante al que causan los disparos de grandes cañones de artillería.

Era muy de noche y la luna brillaba con vivo resplandor. Los marcianos habían llevado a otra parte la máquina de excavaciones; el lugar estaba abandonado; sólo había una máquina de combate al otro extremo del foso y una Máquina de Mano, invisible a mis ojos, porque trabajaba en un rincón del pozo situado debajo del boquete. Fuera del pálido resplandor que a veces se elevaba de la Máquina de Mano y de las bandas y manchas luminosas que formaban los rayos de la luna, el agujero estaba en la mayor oscuridad. Sólo el retintín de la máquina interrumpía el silencio. Era serena y hermosa la noche; alguna estrella intentaba ocupar un puesto en el espacio; pero parecía que la luna lo acaparaba todo para ella. Aulló un perro y fue ese familiar ruido el que me hizo escuchar. Oí entonces claramente sordas detonaciones, como si hubieran disparado cañones de gran calibre. Conté seis cañonazos, separados unos de otros, y después de largo intervalo otros seis. Y esto fue todo.

4. La muerte del vicario

Era el sexto día de nuestro encierro. Ocupaba yo el boquete y de repente sentí que estaba solo. En vez de aguardar ocasión para apoderarse de la hendidura, el vicario se había vuelto a la carbonera. Se me ocurrió una idea y me volví callada y rápidamente. En la oscuridad oí beber al vicario. Le eché mano con violencia y asieron mis dedos una botella de vino.

A esto siguió una corta lucha. La botella se cayó al suelo y se hizo pedazos; solté la presa y me levanté. Ambos nos quedamos inmóviles, jadeantes, amenazándonos el uno al otro. Al fin me planté entre el vicario y los víveres y le comuniqué que había resuelto establecer un orden. Dividí los alimentos de la despensa en raciones para diez jornadas y no quise dejarle comer más el día aquel. Por la tarde intentó débilmente apoderarse del alimento. Yo estaba dormitando, pero me desperté al punto. Todo el día y toda la noche estuvimos sentados frente a frente; yo cansado, pero resuelto; él llorando y quejándose de hambre. Duró esto, ya lo he dicho, un día y una noche; pero me pareció, y aún me parece, una inmensa cantidad de tiempo.

Y así se acrecentaba la incompatibilidad de nuestros caracteres hasta trocarse en lucha abierta. Durante dos días enteros estuvimos disputando en voz baja, respondiéndonos con acritud. A veces yo le daba locamente de cachetes y de patadas; a veces lo mimaba o quería convencerlo como a un niño; en una ocasión llegué a entregarle la última botella de vino, en vista de que había una bomba con la que podía sacar agua para mí. Pero no valieron ni la fuerza ni la bondad; era imposible hacerlo entrar en razón. No renunciaba a sus atracones ni a sus monólogos ruidosos; no observaba ni las precauciones más elementales para hacer soportable nuestro encierro. Lentamente me di completa cuenta del trastorno absoluto de su inteligencia; lentamente fui comprendiendo que mi único compañero de tinieblas espesas y malsanas era un alienado.

Vagos recuerdos me hacen sospechar que en ocasiones divagaba mi propio juicio. En cuanto me dormía me entraban sueños vagos y espantosos. La cosa es extraña; pero me inclino a creer que fue la debilidad y demencia del vicario lo que me estimuló la voluntad, sujetó el pensamiento y conservó la razón.

Al octavo día comenzó a hablar en alta voz y nada pude hacer para que bajara el tono.

–¡Es justo, Dios santo! –decía una y otra vez–. Es justo. ¡Caiga el castigo sobre mí y sobre los míos! Hemos pecado, hemos caído en la tentación. Había pobreza y sufrimiento, los pobres eran pisoteados en el polvo y yo seguí mi camino. Locuras eran mis predicaciones, ¡qué locuras, Dios mío! Yo debí detenerme aunque me costara la vida e incitarlos al arrepentimiento, ¡al arrepentimiento...! ¡Opresores del pobre y del necesitado...! ¡Lagar del Señor!

Y súbitamente volvía a ocuparse de los alimentos que yo le detentaba, y me los imploraba y me los pedía y lloraba, y al fin me amenazaba. Se ponía a alzar la voz –yo le suplicaba que no lo hiciera, pero él notó que así cobraba cierta influencia sobre mí– y me amenazaba con gritar y con llamar a los marcianos. Hubo ocasión en que sus amenazas me intimidaron; pero como la concesión más mínima habría disminuido en exceso nuestras probabilidades de salvación, lo reté a que lo hiciera, aunque no estaba muy seguro de que se callaría. Pero aquel día se calló.

Volvió a hablar, levantando gradualmente la voz, los días octavo y noveno; profería amenazas y ruegos, mezclados con un torrente de reproches medio estúpidos y siempre fútiles por haberse descuidado en el servicio de Dios. Me inspiró gran piedad. Luego se dormía un rato, y renovaba sus lamentaciones con mayor fuerza y en voz tan alta, que tuve necesidad de hacerlo callar.

–¡Cállese! –le dije.

Estaba tumbado en la oscuridad, cerca de la batería de cocina, y se puso de rodillas.

–¡Bastante tiempo me he callado! –dijo con voz que debió de llegar al agujero–. ¡Ahora tengo que mantener mi testimonio! ¡Maldita sea esta ciudad impía! ¡Anatema! ¡Anatema! ¡Malditos, malditos, malditos sean los habitantes de la Tierra! ¡Anatema dice la trompeta...!

–¡Cállese...! ¡Por amor de Dios! –le contesté poniéndome en pie, aterrorizado ante la idea de que nos oyeran los marcianos.

–¡No! –exclamó el cura gritando a voz en cuello, poniéndose igualmente en pie y extendiendo los brazos–. ¡Tengo que hablar! ¡La palabra del Señor me ilumina!

En tres zancadas alcanzó la puerta de la cocina.

–Tengo que mantener mi testimonio. Y lo haré. Harto tiempo lo he aplazado.

Extendí yo la mano, y los dedos tropezaron con un cuchillo de carne que colgaba de la pared. Alcancé al vicario de un brinco. El miedo me enfurecía. Antes de que llegara al medio de la cocina lo había yo agarrado. Por una última muestra de humanidad volví el corte y le pegué con el contrafilo. Cayó de cabeza todo lo largo. Tropecé con su cuerpo y me detuve palpitante. El vicario yacía exánime.

De pronto oí un ruido en la parte de fuera, producido por el resbalón, la caída y la fractura del yeso, y se oscureció el boquete triangular de la pared. Levanté la cabeza y vi la parte baja de una Máquina de Mano que avanzaba lentamente por el agujero. Una de sus piernas tentaculares se retorció entre los escombros, y apareció otra pierna que se abría camino entre las vigas caídas. Me quedé petrificado, con los ojos fijos. Luego percibí a través de una especie de cristal plano, situado en el borde del cuerpo, la cara, si puede así llamarse, del marciano y sus dos grandes ojos oscuros que trataban de horadar las tinieblas. Luego serpenteó por el agujero un largo tentáculo metálico que palpaba lentamente los objetos.

Me volví con esfuerzo, tropecé en el vicario y me detuve en la puerta de la carbonera. El tentáculo había avanzado unos dos metros por el cuarto y se retorcía y daba vueltas con movimientos rápidos de un lado para otro. Sonó un grito ronco y apagado y me escondí en el fondo de la carbonera. Temblaba con violencia; apenas podía tenerme en pie. Abrí la puerta del sótano y allí me quedé en la oscuridad, fijos los ojos en la luz débil del umbral que daba a la cocina, toda el alma puesta en los oídos. ¿Me habría visto el marciano? ¿Qué hacía en aquel instante?

Algo se movía de derecha a izquierda; algo daba golpecitos a cada momento en las paredes y producía al moverse un ligero chis-chás metálico, parecido al de unas llaves en un llavero. En seguida fue arrastrado un cuerpo voluminoso –bien sabía yo cuál– a través del piso de la cocina hacia la abertura. Atraído irresistiblemente me deslicé hasta la puerta y miré hacia la cocina. En el triángulo exterior iluminado por la luz del sol, el marciano, montado en su Máquina de Mano, examinaba la cabeza del vicario. Me imaginé inmediatamente que adivinaría mi presencia en la marca del golpe que yo le había dado.

Me arrastré de nuevo al sótano, cerré la puerta y comencé a taparme todo el cuerpo con leña y con carbón, lo más silenciosamente que me fue posible. A cada momento cortaba el aliento para oír si el marciano hacía pasar de nuevo sus tentáculos por el boquete.

Volvió a sonar el ligero chis-chás metálico. Me lo imaginé palpando minuciosamente los rincones de la cocina. Lo escuché acercarse, ya en la carbonera. Pensé que el tentáculo no sería lo bastante largo para alcanzarme. Me puse a rezar. Pasó el tentáculo arañando tenuemente la puerta del sótano. Sobrevino entonces un siglo de espera intolerable, y luego lo oí tantear en la cerradura. ¡Había encontrado la puerta! ¡El marciano comprendía las cerraduras!

Anduvo en el pestillo acaso un minuto, y se abrió la puerta.

En la oscuridad sólo me era posible vislumbrar que el objeto –parecido a una trompa de elefante más que a otra cosa– se agitaba hacia mí y tocaba y examinaba la pared, el carbón, la leña y el cielo raso. Era como un gusano negro que blandiera la cabeza de un lado para otro.

Hasta llegó a tocarme el tacón de la bota. Estuve a punto de gritar; me mordí la mano. Hubo un silencio.

Me pude figurar que se habría retirado. En seguida echó mano ruidosamente de algo –¡pensé que de mí!– y pareció marcharse de la cueva. Durante un minuto no supe lo que pasaba. Tal vez habría cogido un trozo de carbón para examinarlo.

Aproveché la coyuntura para cambiar un poco de postura, pues sentía calambres, y escuché. Volví a musitar apasionadas oraciones en demanda de salvación.

Oí de nuevo suave y premeditado ruido que se arrastraba hacia mí. Despacio, muy despacio, se me fue acercando; raspaba las paredes y daba golpecitos en los muebles.

Yo dudaba todavía cuando el tentáculo empujó con violencia la puerta del sótano y la cerró. Lo oí andar por la despensa, y rechinaron las cajas de galletas y se rompió una botella, y algo chocó con fuerza contra la puerta del sótano. Luego, silencio e infinita angustia.

¿Se había ido?

Al fin pensé que se habría ido.

No volvió a la carbonera, pero yo me quedé allí todo el décimo día, en absoluta oscuridad, sepultado en la leña y el carbón, no atreviéndome ni a arrastrarme para aplacar la sed que me devoraba. Era el día undécimo cuando me aventuré a buscar víveres.

5. El silencio

Antes de ir a la despensa se me ocurrió lo primero cerrar la puerta entre la cocina y la carbonera. Pero la despensa estaba vacía; todas las provisiones habían desaparecido. Sin duda los marcianos se las habrían llevado la víspera. Al hacer este descubrimiento me dejé dominar por el desconsuelo. No comí ni bebí durante los días undécimo y duodécimo de mi encierro.

Tenía abrasadas la boca y la garganta y decaídas las fuerzas. Me senté en la carbonera oscura presa de lamentable abatimiento. No pensaba más que en comer. Me pareció que me había vuelto sordo, porque no se percibía ninguno de los ruidos a que me había habituado la agitación del agujero. No me sentí con fuerzas suficientes para llegar silenciosamente al boquete; de haberme sentido, lo habría hecho.

El día duodécimo de tal modo me dolía la garganta, que, aventurándome a alarmar a los marcianos, eché mano de la bomba que había junto al sumidero y logré extraer como dos vasos de agua de lluvia, negruzca y fangosa. Me refrescaron considerablemente y cobré ánimos al ver que ningún tentáculo inquisidor sobreviniera al ruido de la bomba.

Durante aquellos días pensé mucho en el cura y en su género de muerte, pero mis pensamientos indecisos divagaban sin rumbo.

El día decimotercero de mi encierro bebí un poco de agua y pensé al dormitar en cosas de comer y en vagos e imposibles proyectos de evasión. Apenas me adormecía soñaba con fantasmas siniestros, con la muerte del cura o con banquetes suntuosos; pero tanto dormido como despierto sentía agudos dolores que me obligaban a beber agua sin cesar. La luz que llegaba a la carbonera no era ya gris, sino roja. Mi trastornada fantasía la juzgaba color de sangre.

El día decimocuarto entré en la cocina y me sorprendió encontrarme con que el ramaje de la Hierba Roja tapaba el agujero de la pared, convirtiendo la media luz del cuarto en una oscuridad color de púrpura.

Y fue en la madrugada del día decimoquinto cuando oí en la cocina curiosa serie de ruidos familiares, en los que reconocí, al escuchar con atención, los resoplidos y arañazos de un perro. Me fui a la cocina y vi moverse en el boquete, entre el ramaje rubio, el hocico de un can. Esto me sorprendió grandemente. Al olerme soltó un ladrido.

Pensé que si lograba hacerle entrar sin ruido tal vez lograría darle muerte y comérmelo, y en todo caso lo prudente era matarlo, para que sus movimientos no llamaran la atención de los marcianos.

Me deslicé hacia adelante diciéndole: «¡Ven, monín!», con voz muy suave, pero en vez de hacerme caso apartó bruscamente la cabeza y desapareció.

Escuché –no estaba sordo–; pero indudablemente era absoluto el silencio del agujero. Oí un ruido semejante al revuelo de las alas de un pájaro y un ronco graznido, nada más.

Permanecí algún rato con la cabeza pegada al boquete, pero sin atreverme a separar las plantas rojas que lo oscurecían. Una o dos veces oí leve ruido de pisadas menudas, como si el perro anduviera en la arena de un lado para otro por debajo de mí; una o dos veces graznaron los pájaros; nada más. Y, al fin, envalentonado por el silencio, me asomé al agujero.

Excepto en un rincón, donde una multitud de cuervos saltaba sobre los esqueletos de las víctimas consumidas por los marcianos y se disputaba a picotazos la carne de los huesos, no había ser viviente en el hoyo.

Miré a todos los lados, no atreviéndome a dar crédito a mis ojos. La maquinaria había desaparecido. Fuera del montón grande de polvo azulado que se elevaba en un rincón, de algunas barras de aluminio colocadas en otro, de los pájaros negros y de los esqueletos, el lugar era un enorme agujero redondo cavado en la arena.

Poco a poco me deslicé por entre las hierbas rojas para ponerme en pie sobre un montón de escombros. Podía mirar a todas direcciones, salvo al Norte, detrás de mí, y no se veía marciano alguno, ni signo que indicara su presencia. Los escombros se desprendieron bruscamente de entre mis pies, pero a poca distancia había una pendiente practicable, que daba a la cumbre de estas ruinas. Tenía una esperanza de salvación. Y comencé a temblar.

Dudé algún tiempo, y luego, en un arranque de resolución desesperado y con el corazón palpitando violentamente, trepé por el montón de escombros que me había enterrado tanto tiempo.

Miré de nuevo a mi alrededor. Tampoco se veía marciano alguno al Norte.

La última vez que había visto esta parte de Sheen a la luz del día era una calle de casitas «confortables», blancas y rojas, desparramadas entre abundantes y copudos árboles.

Ahora me hallaba sobre un montón de ladrillos machacados, de arcilla y de cascajo, en el que se extendía multitud de plantas rojas en forma de cactos, sin que ninguna vegetación terrestre le disputara el terreno. Los árboles próximos estaban muertos y desnudos.

Todas las casas próximas habían sido destruidas, aunque ninguna incendiada; en varias llegaban las paredes hasta el segundo piso y mostraban puertas rotas y ventanas despedazadas. La Hierba Roja crecía alborotadamente entre las habitaciones sin techo. A mis pies, en el gran agujero, los cuervos se disputaban los desperdicios. Otros pájaros saltaban entre las ruinas. Más allá se escabullía por una pared un gato flaco con la cabeza baja, pero no se advertía el menor rastro humano.

Contrastando con las tinieblas de mi encierro, el día me pareció deslumbrador e incandescente el azul del cielo. Suave brisa agitaba la Hierba Roja que cubría hasta la última extensión de terreno y la agitaba blandamente. ¡Ah! ¡Qué dulzura la del aire libre.

6. La obra de quince días

Quedeme un rato sobre el montón, con las piernas temblando y sin pensar en mi seguridad. Mientras permanecí en el antro fétido del que acababa de salir, sólo había pensado con febril intensidad en nuestra seguridad inmediata. Érame imposible darme cuenta de lo que ocurría en el mundo, imposible prever esta visión chocante de cosas desconocidas. Esperaba encontrarme con un Sheen en ruinas, y encontraba a mi alrededor un paisaje encantado y siniestro, perteneciente a otro planeta.

Experimenté en aquel momento una de esas emociones extrahumanas que sólo pueden sufrir en este mundo las pobres bestias que nosotros dominamos. Sentí lo que un conejo que al volver a su madriguera se encontrara con una docena de peones ocupados activamente en cavar los cimientos de una casa. Sentí el primer síntoma de algo que más tarde se fue esclareciendo en mi espíritu y me atormentó durante muchos días; sentí una sensación de destronamiento, una persuasión de que yo no era ya el amo, sino un animal más entre los otros animales, bajo el talón de los marcianos. Nuestro destino sería el de los otros; vivir en acecho y en espera, correr y escondernos; el imperio del hombre y el terror que inspira eran cosas pasadas para siempre.

Pero tan pronto como me di clara cuenta de esto, se desvaneció idea tan extraña y me preocupé principalmente del hambre que sentía después del ayuno largo y deplorable. Reparé en que del otro lado del agujero, tras una tapia recubierta de plantas rojas, había un pedazo de jardín aún no invadido. Esto me sugirió un pensamiento, y me adelanté entre la Hierba Roja, que a veces me cubría las rodillas y a veces el cuello. La densidad de la hierba me ofrecía la tranquilizadora perspectiva de esconderme en caso de apuro. Tenía la tapia unos seis pies de altura, y cuando quise escalarla vi que me era imposible subir tan alto el cuerpo. Dando un rodeo llegué a un rincón, donde una roca artificial me permitía subir a lo alto del muro, y llegué al cabo del jardín codiciado. Encontré algunas cebollas tiernas, un par de bulbos de gladiolo y cierta cantidad de zanahorias verdes; me apoderé de todo ello y, franqueando una pared en ruinas, eché a andar hacia Kew entre árboles color escarlata –diríase un paseo por una avenida de gigantescas gotas de sangre–. Dos pensamientos me dominaban: encontrar alimentos de más sustancia y huir lo más lejos y deprisa que mis fuerzas me lo permitieran de estos malditos extraterrestres alrededores del agujero.

Algo más lejos, en un paraje donde todavía había césped, encontré un puñado de setas, que devoré en seguida, aunque estas migajas sólo consiguieron aguzarme el hambre. Pero cuando creía estar en las praderas caí en una sábana de agua poco profunda que fluía con débil corriente. Me sorprendió al principio tal inundación en un verano cálido y seco: luego descubrí que provenía de la tropical exuberancia de la Hierba Roja. Tan pronto como tan extraordinarios vegetales encontraban una corriente de agua, cobraban gigantescas proporciones e incomparable fecundidad. Caían a montones las semillas en las aguas del Wey y del Támesis, germinaban inmediatamente y pronto sus acuosos y titánicos ramajes cegaban el curso de ambos ríos.

El puente de Putney, como pude verlo después, casi se perdía en una red de hierbas, y también en Richmond las aguas del Támesis fluían en corriente ancha y superficial por las praderas de Hampton y de Twickenham. La Hierba Roja seguía el curso de las aguas, de tal modo que las quintas arruinadas del valle del Támesis se sumergieron algún tiempo en ese pantano rojo, cuyas orillas ya recorría y que disimulaba gran parte de la desolación producida por los marcianos.

Al fin, la Hierba Roja sucumbió casi tan deprisa como había crecido. Pronto se apoderó de ella una enfermedad infecciosa debida, según se cree, a la acción de ciertas bacterias. A consecuencia de la selección natural, todas las plantas terrestres han adquirido cierto poder de resistencia contra las enfermedades microbianas; jamás sucumben sin defenderse largo tiempo; pero la Hierba Roja se pudrió como si ya estuviera muerta. Las ramas se pusieron blancuzcas, arrugadas y quebradizas. Se rompían al menor contacto, y las aguas que favorecieron su precoz desarrollo arrastraban al mar sus últimos vestigios...

Lo primero en que pensé al llegar a esta corriente fue en apagarme la sed. Bebí un gran trago de agua y se me ocurrió morder algún pedazo de Hierba Roja; los tallos eran acuosos y tenían un enfermizo sabor metálico. Como la corriente no era profunda, podía vadearla con seguridad, aunque al andar no dejara de estorbarme la

Hierba Roja, pero la profundidad era mayor a medida que me acercaba al río, y preferí volverme hacia Mortlake. Me las arreglé para seguir el camino fijándome en las casas ruinosas, en los cercados y en los faroles que aquí y allá encontraba, y de esta suerte logré alejarme de la inundación y llegar a los pastos de Putney, luego de franquear la colina de Roehampton.

El paisaje era distinto: a lo extraordinario y desconocido reemplazaba el trastorno de lo familiar; aquí parecía asolado el terreno por algún ciclón, pero allá todo estaba lo mismo, sin el menor rastro de calamidades; las casas mostraban las persianas corridas y las puertas cerradas, como si los vecinos estuviesen durmiendo o se hubieran ausentado por uno o dos días. Era menos abundante la Hierba Roja; los árboles más altos del camino se veían libres de la roja trepadora. Busqué entre las ramas algún fruto, sin encontrarlo; exploré también dos o tres casas, silenciosas, pero otros las habían ya saqueado. Me tumbé en un plantío de árboles hasta que el sol se puso, porque me hallaba demasiado débil para seguir andando.

En todo este tiempo no había visto persona humana, ni huella de marcianos. Encontré una pareja de perros, hambrientos, pero los dos huyeron dando grandes rodeos en cuanto los llamé. Cerca de Roehampton tropecé con dos esqueletos humanos –no cadáveres, sino esqueletos sin pizca de carne– y en un boscaje, con los huesos magullados y dispersos de varios gatos y conejos y con la calavera de una oveja. Intenté roer algunos, pero nada pude sacar de ellos.

Después de puesto el sol hice un esfuerzo y seguí avanzando por la carretera que va a Putney, donde me pareció, no recuerdo la causa, que debía de haber funcionado el Rayo Ardiente. Más allá de Roehampton recogí en un jardín un puñado de patatas no muy maduras, que bastaron a entretenerme el hambre. Desde este jardín se ve Putney y el río. Al anochecer era el aspecto del paisaje singularmente desolado: árboles ennegrecidos, ruinas ennegrecidas y desoladas, bajo la colina el río desbordado, la superficie de las aguas teñida de rojo por la hierba extraordinaria. Y por encima de todo, el silencio. Me invadió indescriptible terror al pensar en la rapidez con que se había realizado transformación tan desoladora.

Creí durante un rato que la especie humana hubiera sido barrida de la existencia y que yo, el hombre solitario que allí me hallaba en pie, era el último superviviente. En lo alto de la colina de Putney encontré otro esqueleto, cuyos brazos dislocados estaban a varios metros del tronco. A medida que avanzaba me iba confirmando en el pensamiento de que, fuera de algunos vagabundos como yo, la especie humana había sido exterminada en aquel rincón del planeta. Los marcianos –me dije– habrán continuado su camino, abandonando esta comarca desolada para buscar alimento en otra parte. Tal vez se hallen destruyendo Berlín o París; tal vez se habrán encaminado al Norte...

7. El hombre de Putney Hill

Pasé la noche en la posada que hay en el alto de Putney, durmiendo entre sábanas por primera vez desde mi huida a Leatherhead. Nada diré del trabajo innecesario que me costó romper una ventana para entrar en la casa –luego noté que la puerta principal sólo estaba cerrada con pestillo–, ni de cómo exploré las habitaciones en busca de alimento, hasta que, cuando ya desesperaba de encontrarlo, vi en un cuarto, que me pareció dormitorio de criados, un mendrugo roído por las ratas y dos botes de plátanos en conserva. La casa había sido ya saqueada. Encontré en el mostrador un montón de galletas y sándwiches olvidados. No pude comerme los sándwiches, pero con las galletas me aplaqué el hambre y llené los bolsillos. No encendí la luz, temeroso de llamar la atención de algún marciano que recorriera de noche aquella parte de Londres en busca de provisiones. Antes de acostarme me dominó largo rato la inquietud y anduve de ventana en ventana, asomándome a todas para ver si los monstruos daban señal de su presencia. Dormí poco. Al acostarme me sorprendía el hecho de que yo reflexionara con lucidez, cosa que no recuerdo haber realizado desde mi última disputa con el vicario. Durante ese tiempo mi estado mental había sido una sucesión rápida de vagas emociones y de estúpida receptividad. Pero aquella noche, fortificado indudablemente mi cerebro por la alimentación, se me despejaron las ideas y pensé.

Tres cosas se disputaban mi atención: la muerte del vicario, la posición actual de los marcianos y el posible destino de mi esposa. No recuerdo que la primera me inspirase acusaciones de horror ni de remordimiento; me parecía un hecho consumado, de recordación infinitamente desagradable, pero me hallaba del todo libre de remordimientos; me veía entonces, como me veo ahora, conducido paso a paso a asestarle aquel golpe impensado, víctima de una serie de circunstancias cuyo resultado tenía que ser ése. Pero no me veía culpable, aunque me obsesionaba el recuerdo fijo y no agrandado del suceso. Hice el examen de conciencia de aquel momento de cólera y de miedo en el silencio de la noche, presa de uno de esos estados en que Dios parece acercarse en la oscuridad y en la quietud, y soporté victoriosamente el examen. Reconstruí de punta a cabo nuestras relaciones desde el instante en que lo encontré sentado junto a mí sin hacer caso de mi sed y señalando con el dedo el fuego y el humo que se elevaban de las ruinas de Weybridge. No pudimos entendernos ni obrar de común acuerdo; el torvo azar no se cuida de estas cosas. De haberlo yo previsto le habría abandonado en Halliford. Pero no lo preví, y el crimen sólo consiste en obrar mal después de prever. Cuento estas cosas, y toda esta historia, tales como ocurrieron. No hubo testigos, he podido ocultarlas, pero las cuento y me confío al libre juicio del lector.

Y cuando logré penosamente apartar de mi espíritu la imagen de aquel cadáver postrado en el suelo, afronté el problema de los marcianos y el de la suerte de mi esposa. No disponía de ningún dato concerniente a los marcianos; me imaginaba, en cambio, un centenar de cosas, y esto es lo que sucedía con mi mujer. Pero muy pronto se me hizo espantosa la noche. Me senté en la cama, fijos los ojos en las tinieblas; me sorprendí rogando a Dios que, si tenía que morir, matase de golpe a mi mujer el Rayo Ardiente sin causarle dolor. Desde la noche de mi vuelta de Leatherhead no había rezado. En ocasiones desesperadas había musitado oraciones, oraciones fetichistas, como murmuran maleficios los paganos; pero esta vez rezaba de verdad e imploraba a Dios en la oscuridad con firmeza y cordura. ¡Extraña noche...! Más extraña aún porque, al llegar el alba, yo, el que había conversado con Dios, salí cautelosamente de la casa como una rata de su agujero –¡criatura poco más grande que la rata, animal inferior, que podía ser cazado y muerto al menor capricho de nuestros amos!–. Acaso los marcianos invocaban también a Dios llenos de confianza. De seguro que, si no hemos aprendido otra cosa, nos ha enseñado esta guerra la piedad, piedad hacia esas almas sin razón que nosotros dominamos.

La mañana era clara y espléndida; el cielo de Oriente brillaba en color rosa, estriado por nubecillas de oro. En la carretera que va desde lo alto de Putney Hill a Wimbledon se veía gran número de pobres vestigios del torrente pánico que debió de caer sobre Londres la noche del domingo en que se celebró la batalla. Había un carricoche de dos ruedas que llevaba el nombre de Thomas Lobb, frutero, New Malden, con una rueda hecha pedazos y una caja de metal abandonada; había también un sombrero de paja pisoteado en el barro ya duro, y en lo alto de West Hill se veía un montón de vidrios teñidos en sangre junto al abrevadero demolido. Mis pasos eran cada vez más inciertos, y mis ideas cada vez más vagas. Aún quería ir a Leatherhead, aunque no ignoraba que eran muy escasas las probabilidades de encontrar a mi mujer. A menos de que la muerte no la hubiera cogido de improviso, mi primo y ella debían de haber huido, pero supuse que allí averiguaría hacia dónde se habrían marchado los habitantes de Surrey. Sabía que necesitaba a mi esposa y que eran grandes los sufrimientos que me ocasionaban su ausencia y la falta de compañía, pero no veía modo de encontrarla, y cada vez me atormentaba más lo absurdo de mi soledad. Así llegué, al abrigo de una espesura de árboles y zarzas, al borde de los prados de Wimbledon, que vi extenderse a lo ancho y a lo lejos.

Hiniestas amarillas alegraban la extensión aún sombría; no se veía en parte alguna la Hierba Roja, y cuando yo vagaba por la orilla, sin saber lo que hacer, salió el sol inundándolo todo de luz y de vida. En un repliegue pantanoso situado entre los árboles se movían multitud de ranas diminutas. Me detuve para mirarlas, aleccionándome yo mismo en su firme propósito de vivir. Tuve de pronto la sensación extraña de que alguien me vigilaba; di media vuelta y vi que algo se agazapaba entre unos matorrales. Me detuve a mirarlo. Adelanté un paso, y aquel algo se levantó; era un hombre armado de cuchillo. Me aproximé lentamente y él me miró, silenciosamente e inmóvil.

Al acercarme noté que sus vestidos estaban tan andrajosos y puercos como los míos; parecía salir de alguna alcantarilla. Ya más cerca, distinguí en sus ropas el barro verdoso de las zanjas mezclado con el color gris pálido de la arcilla seca y con el pelo negro; tenía la cara sucia y morena, y hundidas las facciones, de modo que al pronto no le reconocí. Una cicatriz aún roja le cruzaba la parte baja de la faz.

–¡Alto! –exclamó, cuando estuve a unos diez pasos de distancia. Me detuve; tenía él la voz ronca–. ¿De dónde viene usted? –me preguntó.

Reflexioné un momento, mirándolo con atención.

–Vengo de Mortlake –le contesté–; he estado enterrado junto al agujero que han hecho los marcianos en torno a su cilindro, y he logrado escaparme.

–No hay nada que comer por aquí –me dijo–. Esto me pertenece; toda la colina hasta el río, por ahí hasta Clapham, y por allá hasta el límite de los prados. No hay víveres más que para uno. ¿Adónde va usted?

Respondí con lentitud:

–No lo sé; he estado enterrado en las ruinas de una casa trece o catorce días. No sé lo que ha ocurrido en ese tiempo.

Me miró con aire de duda; pero se estremeció de pronto y cambió su rostro de expresión.

–No deseo permanecer por aquí. Creo que iré a Leatherhead, porque allí estaba mi esposa.

Alzó el dedo índice:

–¿Es usted el hombre de Woking? ¿Y no le mataron en Weybridge?

Al mismo tiempo le reconocí yo.

–Y usted es el artillero que entró en mi jardín.

–¡Qué suerte! –me dijo–. ¡Tenemos suerte...! ¡Pensar que usted...!

Me tendió una mano, que estreché.

–Yo me he salvado remontando un canal de desagüe. Pero los marcianos no matan a todos. Después de que se fueron me encaminé hacia Walton a través de los sembrados. Pero... aún no han pasado quince días... y tiene usted el pelo blanco.

Volvió la mirada repentinamente.

–Es sólo una corneja. En los tiempos que corren hay que aprender que los pájaros tienen sombra. Aquí estamos al descubierto. Lleguémonos a esos arbustos para hablar.

–¿Ha visto usted a los marcianos? –le pregunté–. Desde que he salido de mi encierro...

–Están al otro lado de Londres –me contestó–. Supongo que habrán encontrado por allí un campamento más grande. Por la noche, en esa parte, hacia Hampstead, se llena el cielo de los reflejos de sus luces. Diríase que son los resplandores de una gran ciudad. Se los ve ir y venir en la claridad. Pero a la luz del día desaparecen. No los he visto más cerca desde hace...

Se puso a contar con los dedos y prosiguió:

–Desde hace cinco días. Sí, vi dos que atravesaban Hemmersmith cargados con algo enorme. Y la penúltima noche –se detuvo el artillero y prosiguió con voz grave– vi a la luz de los reflejos que algo subía a los cielos. Creo que han construido una máquina de volar y que están aprendiendo a manejarla.

Me detuve, apoyándome en manos y rodillas. Ya habíamos llegado a los arbustos.

–¿A volar?

–Sí –me contestó–. ¡A volar!

Me metí en una enramada y me senté.

–¡Adiós a la humanidad! –exclamé–. Si consiguen volar darán la vuelta al mundo...

Bajó la cabeza en señal de asentimiento.

–La darán..., pero... tanto mejor para los que nos encontremos acá... Y por otra parte –y al decir esto el artillero me miró– ¿no le satisface a usted que haya acabado el imperio de la humanidad? A mí sí. Nos han aplastado; nos han vencido.

Lo miré atónito. Por extraño que esto parezca yo no había llegado a esa conclusión, que me pareció evidente apenas comenzó a hablar. Conservaba todavía vagas esperanzas, o mejor dicho, persistían en mi espíritu antiguos hábitos mentales. El artillero repitió sus palabras.

–Nos han vencido.

Encerraba esta frase inquebrantable convicción.

–Todo se ha acabado –añadió–. Han perdido *uno*, sólo uno; pero se han instalado en buenas condiciones y cortado brazos y piernas a la nación más poderosa del mundo. Nos han pisoteado. La muerte del que perdieron en Weybridge sólo ha sido un accidente... Y éstos son sólo la vanguardia. Continúan viniendo en esas estrellas verdes. Hace cinco o seis días que no veo ninguna, pero estoy seguro de que todas las noches cae una en algún sitio. No es posible hacer nada. ¡Llevamos las de perder! ¡Nos han vencido!

No le respondí. Me quedé mirándolo, sin hallar argumento que oponer a los suyos.

–Esto no es guerra –dijo el artillero–. No lo ha sido nunca, como no puede haber guerra entre los hombres y las hormigas.

Pero de pronto me acordé de la noche pasada en el observatorio.

–Después del décimo no han vuelto a disparar, al menos hasta que cayó el primer cilindro.

–¿Cómo lo sabe usted? –me preguntó el artillero.

Le expliqué lo que sabía y se puso a reflexionar.

–Se les habrá estropeado el cañón. Pero ¿qué les importa? Ya verá usted cómo lo componen, y aunque se les ocasione algún retraso, éste no puede alterar el resultado. Es como si los hombres pelearan con las hormigas. Las hormigas construyen sus ciudades, viven su vida, tienen guerras y revoluciones, hasta que los hombres necesitan sacarlas del camino, y ellas se salen del camino. Esto es lo que ocurre ahora; somos como hormigas. Sólo que...

–¿Qué?

–Sólo que somos hormigas comestibles.

Nos miramos mutuamente, en silencio.

–¿Y qué harán de nosotros? –le pregunté.

–Eso es lo que me pregunto –me respondió–. ¡Eso es lo que me pregunto! Después de lo de Weybridge me fui hacia el Sur, perplejo. Vi lo que ocurría. Todo el mundo daba gritos y se agitaba. Pero a mí no me gusta gritar. He visto la muerte de cerca una o dos veces. No soy soldado de puro adorno y, bien que mal, la muerte es la muerte, y el hombre que conserva la sangre fría es el que se salva. Yo vi que todo el mundo se iba al Sur, y me dije: «Antes de mucho no tendrán qué comer», y me volví resueltamente. Seguí a los marcianos como el gorrión sigue al hambre. Por allá –y al decir esto señalaba con la mano el horizonte– se mueren de hambre a montones y se pegan y los unos pisotean a los otros...

Reparó en mi angustia y se detuvo con embarazo.

–Sin duda, los que tenían dinero habrán logrado ir a Francia.

Pareció querer excusarse, pero al mirarme continuó:

–Aquí hay provisiones por todas partes. Montones de cosas en las tiendas, vinos, alcoholes, aguas minerales. Y las tuberías y las alcantarillas están huecas. Pero le iba diciendo lo que pensaba. Se trata de seres inteligentes, me digo yo, que parecen necesitarnos para alimentarse. Lo primero que hacen es concluir con nuestra organización:

barcos, máquinas, artillerías y ciudades. Todo esto se acabará. Si nosotros tuviéramos el tamaño de las hormigas nos sería posible escapar. Pero no lo tenemos, y nos es imposible detener semejantes masas. Todo esto es completamente cierto. ¿No le parece a usted?

Asentí silenciosamente.

–Perfectamente; estamos de acuerdo, ¡y a otra cosa! Ahora los marcianos nos cogen como quieren. Si a cualquiera de ellos se les ocurriera en este momento dar cuatro zancadas, se encontraría con la muchedumbre que trata de fugarse. El otro día vi a uno en Wandsworth que demolía las casas y se paseaba por entre los escombros. Pero ya se cansarán de estas cosas. Tan pronto como acaben con nuestros ferrocarriles, barcos y cañones y con todos los que se estén haciendo, comenzarán a atraparnos sistemáticamente, eligiendo a los mejores y guardándolos en jaulas y cercados. Esto es lo que harán dentro de poco. Porque a mí se me figura que todavía no han comenzado su obra.

–¿Que no han comenzado? –exclamé.

–No han comenzado. Lo que ha ocurrido hasta ahora se debe a que en vez de ser prudentes y de estarnos quietos, se nos ocurrió molestarles con cañones, fusiles y otras tonterías. Y una vez puesta en el disparadero, la gente ha huido por rebaños, cuando no era más peligroso permanecer donde se estaba. Los marcianos no se ocupan todavía de nosotros. Están haciendo sus cosas, todas las cosas que no han podido traerse consigo, y preparándolas para los que vendrán después. A esto se debe probablemente que hayan cesado los cilindros, así como al temor de que cayeran sobre los que hay aquí. Y en lugar de correr a ciegas, como pelotas, y de almacenar dinamita con la esperanza de despedazarlos, haríamos mejor tratando de acomodarnos al nuevo estado de cosas. Esto es lo que a mí se me figura. Claro que no es éste el ideal a que debe aspirar la raza humana, pero es lo que los hechos nos indican. Y éste es el principio al que ajusto mis acciones... Ciudades, pueblos, civilización, progreso, ¡todo se acabó! La comedia ha terminado. Nos han vencido.

–Pero, si eso es cierto, ¿para qué vivir?

El artillero me examinó un momento.

–Durante uno o dos millones de años no volverá a haber conciertos, ni academias de Bellas Artes, ni manjares exquisitos en los restaurantes. Si lo que usted busca son diversiones, reconozco que la comedia ha terminado. Si tiene usted modales de damisela y no le gusta comer las peras con cuchillo y le repugna el hablar incorrecto, le vale más dejarse de escrúpulos. Ya no son de ninguna utilidad.

–Querrá usted decir...

–Quiero decir que los hombres como yo viviremos para conservar la especie. Le juro a usted que estoy resuelto a vivir, y que si no me engaño *usted también* tendrá que enseñar antes o después lo que lleva dentro. No nos matarán a todos y tampoco se me antoja dejarme coger para que me domestiquen, me mantengan y me engorden y me coman como a un buey cebado. ¡Uf!... ¡Que le coman a uno esos bichos!

–¡No querrá usted decir...!

–¡Sí, allá voy...! ¡Bajo tierra! Ya lo he resuelto; ya lo he planeado. ¡Nos han vencido! Tenemos que aprender muchas cosas antes de que podamos medir nuestras fuerzas con las suyas. Y mientras las aprendemos tenemos que vivir y que conservar nuestra independencia. ¿Comprende usted...? Eso es lo que tenemos que hacer.

Le miré atónito, excitado profundamente ante tan viril resolución.

–¡Demonio...! ¡Usted es un hombre! –exclamé apretándole la mano con fuerza.

–¿Qué tal? –me decía con los ojos brillantes de orgullo–. ¿Le parece bien pensado?

–Continúe –le respondí.

–Los que no quieran ir a la jaula tienen que darse prisa. Yo me doy prisa. Pero piense usted en que no todos los hombres son capaces de convertirse en fieras; y esto es lo que ha de suceder. Por eso yo le vigilaba a usted. Tenía mis dudas. Usted es delgado y enclenque. No sabía quién era usted, ni que le hubieran enterrado. Todos ésos, toda esa gente que vivía en esas casas, todos esos malditos oficinistas que viven de ese modo, no sirven para nada. Carecen de valor, de sueños vigorosos y de enérgicos deseos, y, ¡Dios mío...!, ¿para qué sirve un hombre que carezca de estas cosas sino para temblar y esconderse...? Todas las mañanas se encaminaban a su trabajo (yo los he visto a centenares) con el bocado en la boca, corriendo a todo escape para no perder el tren correspondiente a sus abonos, temerosos de ser despedidos si no llegaban a tiempo; por la tarde volvían con el mismo paso, para que no se les enfriara la comida; luego se quedaban en sus casas por miedo a las calles solitarias; se acostaban con sus esposas, con las que se habían casado no tanto por necesitarlas, sino para que sus dinerillos les garantizaran la miserable carrera por el mundo. Se aseguraban la vida en compañías de seguros y ahorraban algunos cuartos en previsión de enfermedades. Y al llegar el domingo se dedicaban a temer la otra vida, ¡como si se hubiese hecho el infierno para los conejos...! Pues para estas gentes serán los marcianos una bendición: jaulas bonitas y espaciosas, alimento a discreción, crianza esmerada y ausencia de preocupaciones. Después de vagabundear una semana o dos por los campos con el estómago vacío se dejarán coger alegremente. Al poco tiempo estarán satisfechos y no tardarán en preguntarse lo que hacían las gentes en el mundo antes de que los marcianos se cuidaran de ellas. ¿Y los borrachines, y los jugadores, y los cantantes? Desde aquí los veo, ¡sí!, los veo... –exclamó con tono de satisfacción sombría–. En ellos irá a refugiarse el sentimiento y la religiosidad; pero hay mil cosas que había visto yo toda la vida y que ahora empiezo a comprender. Hay gentes gordas y estúpidas que tomarán las cosas como vengan y muchas otras a quienes torturará la idea de que va mal el mundo y es preciso hacer algo. Pero cuando las cosas se ponen de tal modo que empieza a creer la gente que es preciso hacer algo, los espíritus débiles y los que se debilitan a fuerza de pensar demasiado acaban por formar una especie de religión del No Hacer Nada, muy piadosa y superior, y se someten a las persecuciones y a la voluntad de Dios. Ya lo habrá notado usted. Es la energía vuelta al revés por una ráfaga de miedo. En esas jaulas abundarán los cánticos, las letanías y las devociones... Y los que sean menos simples se inclinarán un poco al..., ¿cómo lo llama usted...?, al erotismo.

Se calló un momento y prosiguió:

–Es lo más probable que los marcianos tengan sus favoritos entre esa gente, que les enseñen a hacer monadas..., ¡sabe Dios...!, que dediquen versos sentimentales al pobre niño mimado a quien tengan que matar... Y a otros les enseñarán a cazarnos.

–¡No! –respondí–. ¡Eso es imposible...! ¡Ningún ser humano...!

–¿Por qué hemos de repetir eternamente tales majaderías...? Hay hombres que nos cazarán gustosos... ¡Es tonto pretender lo contrario!

Su convencimiento me hizo callar.

–¡Y si alguno me siguiera! ¡Cielo santo...! ¡Si alguno me siguiera! –y el rostro del artillero adquirió una expresión sombría.

Yo también me puse a meditar sobre esas cosas. No se me ocurría argumento que oponer a sus razones. Antes de la invasión nadie habría discutido mi superioridad mental –la de un escritor reputado que se ocupa en cuestiones filosóficas sobre la de un militar inculto–, y, sin embargo, este hombre formulaba con claridad una situación cuando yo apenas acertaba a comprenderla.

–¿Y qué hace usted? –le pregunté bruscamente–. ¿Cuál es su plan?

Dudó antes de responderme.

–¡Pues bien..., éste es mi plan...! ¿Qué hemos de hacer? Tenemos que inventar un género de vida en la que puedan vivir los hombres, reproducirse y gozar de suficiente seguridad para educar a los hijos. ¡Sí...! Espere un segundo y le diré claramente lo que pienso que se debe hacer... Los domesticados por los marcianos se pondrán como todos los animales domésticos. Dentro de pocas generaciones serán gordos, hermosos, de sangre rica y estúpidos; ¡basura...! El peligro que corren los que conserven la libertad es el de volverse salvajes, el de degenerar en una especie de ratas salvajes... Porque yo creo que habremos de vivir bajo tierra. He pensado en las alcantarillas. Los que no las conocen se figuran que son parajes espantosos; pero bajo este Londres hay millas y más millas, cientos de millas, que en cuanto llueva varios días en la ciudad abandonada, se convertirán en habitaciones agradables y limpias. Las principales son bastante grandes y aireadas para satisfacer al más exigente. Y desde los sótanos, las bóvedas y los almacenes situados bajo tierra se pueden abrir pasos fáciles de cerrar. Contamos también con los túneles y con el ferrocarril subterráneo. ¿Qué tal...? ¿Empieza usted a comprender...? Y constituimos una partida de hombres vigorosos e inteligentes, porque no vamos a recoger a todos los incapaces que quieran agregársenos... ¡Fuera los débiles!

–¿Es lo que quería hacer usted conmigo?

–Le diré..., yo parlamentaba...

–Bueno, no hemos de reñir por eso. Continúe.

–Los que vengan con nosotros tendrán que obedecer. También necesitamos mujeres vigorosas e inteligentes: madres y maestras. ¡Nada de señoritas quejumbrosas que pongan los ojos en blanco! No queremos idiotas ni incapaces. La vida vuelve a ser natural, y los inútiles, los engorrosos y los malos tienen que morir. Tienen que morir. Debieran morirse de buena voluntad. Después de todo, es una clase de traición el vivir para inficionar la raza. Y no pueden ser felices. Además, la muerte no es cosa tan horrible: es el miedo lo que la hace antipática... Nos reuniremos en esos lugares. Londres será nuestro distrito. Podremos hasta organizar un servicio de vigilancia para salir al aire libre cuando se retiren los marcianos, y acaso organizar partidas de críquet. Y de este modo salvaremos la raza. ¿Qué tal? ¿Es posible? Pero no todo consiste en salvar la raza; eso es lo que hacen las ratas. Lo que nos hace falta es salvar nuestro saber y aumentarlo. Para esto servirán los hombres como usted. Prepararemos locales especiales en sitios muy profundos, y llevaremos allí todos los libros que podamos; nada de novelas ni de versos; nada de tonterías, sino ideas, libros de ciencia. En eso emplearemos a los hombres como usted. Iremos al Museo Británico y cogeremos todos los libros de ese género. Necesitamos conservar nuestros conocimientos científicos y agrandarlos mucho. Observaremos a los marcianos; los espiarán algunos de nosotros; iré yo mismo cuando esté todo organizado. Hasta habrá que dejarse coger. Lo principal es que dejemos en paz a los marcianos. Ni siquiera debemos robarles nada. Donde los encontremos nos echaremos a un lado. Tenemos que probarles que no nos guían malos propósitos. Sí, ya lo sé, pero son seres inteligentes, y si nada les hace falta nos tratarán al fin como a gusanos inofensivos.

Se detuvo el artillero y me agarró del brazo con una mano sucia.

–Después de todo es muy posible que no necesitemos aprender gran cosa... Imagínese usted que empiezan a andar cinco o seis máquinas de combate, con el Rayo Ardiente a derecha e izquierda, pero sin que las maneje ningún marciano. ¡Ningún marciano, sino hombres que hayan aprendido a manejarlas...! Acaso lo veamos nosotros..., ¡acaso esos hombres...! ¡Imagínese usted encima de una de esas activas máquinas, con el Rayo Ardiente a su disposición!... ¿Qué importaría que le despedazaran a uno después de semejante hazaña? ¡Le juro a usted que los marcianos tendrán que despabilarse! ¿No los ve usted...? ¿No los ve usted correr y correr jadeantes y arrojarse gritando sobre las otras máquinas...? Pero se las habremos desarmado de antemano y, ¡pim, pam, pum!, antes de que las desenreden llega el Rayo Ardiente... ¡y vuelve a recobrar el hombre su puesto en la Tierra!

Durante un rato me dominaron por completo la atrevida fantasía del artillero y el tono de convicción y de valor con que me hablaba. Creía a pies juntillas tanto en sus previsiones relativas al destino de la raza humana, como en la factibilidad de su plan asombroso. El lector que siga la exposición de estos hechos con el espíritu tranquilo y atento debe pensar, antes de burlarse de mi credulidad y de mi inocencia, en que yo me hallaba escondido entre unos matorrales y le escuchaba lleno de miedo y de ansiedad. Conversamos de esta manera buena parte de la mañana, hasta que se nos ocurrió salir del escondite y, luego de escudriñar el horizonte por ver si se acercaban los marcianos, corrimos a la casa de Putney Hill, guarida del artillero. Se había instalado en uno de los sótanos; cuando vi la faena de toda una semana –un agujero de unos diez metros que había que alargar hasta la principal alcantarilla de Putney– comencé a darme cuenta de la distancia que mediaba entre sus sueños y sus obras. Yo habría hecho ese agujero en un solo día. Pero confiaba en él y le ayudé en su trabajo toda la mañana hasta después de mediodía. Teníamos una parihuela y amontonábamos la tierra contra el horno de la cocina. Reparamos las fuerzas con una lata de cabeza de ternera y una botella de vino. Este trabajo me aliviaba el dolor que me producía la enervante extrañeza de las cosas. Entre tanto empecé a dar vueltas a su plan y comenzaron a ocurrírseme objeciones y dudas; pero trabajé toda la mañana por el placer que sentía al ver que me alentaba algún propósito.

Al cabo de una hora me puse a calcular las dimensiones que requería nuestro túnel para alcanzar la cloaca y las probabilidades de no dar en ella. Además, no necesitábamos para nada de este paso, porque lo mejor era bajar por cualquier parte a la cloaca y abrirnos camino desde abajo a la casa. Y también me parecía que el lugar había sido mal escogido, puesto que para volver necesitábamos un túnel inútilmente largo.

–Mucho trabajamos –exclamó el artillero soltando la pala–. ¿Por qué no descansamos un rato...? Detengámonos... Además, ya es hora de que examinemos desde el tejado lo que ocurre fuera.

Yo prefería continuar el trabajo; así se lo dije, y el artillero recogió la pala después de pensarlo. Pero se me ocurrió una idea; me paré y él se paró al momento.

–¿Por qué se hallaba usted en la pradera en vez de trabajar aquí cuando nos encontramos? –le pregunté.

–Estaba tomando el aire; iba a volver en ese momento... Es más seguro salir de noche.

–¿Y el trabajo?

–¡Ah...! No se puede trabajar siempre.

En esta contestación conocí a mi hombre.

Se puso a reflexionar un rato apoyándose en la pala, y me dijo:

–Deberíamos hacer un reconocimiento, porque si alguien se acercara podría oírnos y cogernos desprevenidos.

No me sentía dispuesto a discutir. Subimos juntos y exploramos los alrededores desde una escalera que daba al tejado. No se advertía signo alguno de los marcianos y nos aventuramos por entre las tejas bajando al abrigo del parapeto.

Desde esta posición no se veía la mayor parte de Putney, porque nos la ocultaba una arboleda, pero sí el río, la masa espumosa de la Hierba Roja y la parte baja de Lambeth, inundada e invadida por la hierba. La trepadora planta se subía a los árboles que rodeaban el antiguo palacio, y las ramas muertas y desnudas mostraban aquí y allá hojas secas entre el tumulto de la hierba marciana. Era extraño ver lo indispensable que son las corrientes de agua a esa planta. En nuestro derredor no se notaba ni rastro: crecían como siempre los codesos, los claveles y las tuyas entre macizos de hortensias y de laureles asoleados, verdes y brillantes. Más allá de Kensington se elevaba espesa humareda; este humo y una neblina azul nos impedían ver las colinas septentrionales.

El artillero comenzó a hablarme de las gentes que quedaban en Londres:

–Una noche de la semana pasada lograron algunos imbéciles hacer funcionar la luz eléctrica en Regent Street y en el Circus. Pronto acudió a la luz una muchedumbre de borrachos harapientos, hombres y mujeres, que estuvieron bailando y gritando hasta el alba. Me lo ha contado un hombre que lo vio. Al hacerse de día, repararon en una máquina marciana, quieta en la oscuridad, que los examinaba curiosamente. ¡Dios sabe el tiempo que llevaba allí! Echó a andar entre las gentes y recogió un centenar de las que no acertaron a correr de puro ebrias o de puro espantadas.

¡Grotesca visión de un tiempo que ninguna historia describirá del todo!

Por una serie de preguntas le hice hablarme de nuevo de sus grandiosos proyectos. Se entusiasmó al referírmelos. Hablaba con tal elocuencia de la posibilidad de capturar una máquina de combate, que casi volví a tener confianza en él. Pero, en realidad, yo empezaba a comprender su carácter y a adivinar la causa de que insistiera tanto en no hacer nada precipitadamente. Noté además que no hablaba poco ni mucho de ir en persona a capturar la máquina, ni a emplearla contra los marcianos.

Después de un rato nos volvimos al sótano. Ninguno de los dos parecía dispuesto a continuar el trabajo, y cuando me habló de comer acepté sin vacilaciones. Le entró de pronto la generosidad, y apenas terminamos salió en busca de excelentes tabacos. Los encendimos, y su optimismo subió de punto. Se inclinaba a mirar mi llegada como maravilloso y fausto acontecimiento.

–Hay champaña en la cueva –me dijo.

–Mejor trabajaremos con este vinillo del Támesis.

–No –me contestó–. ¡Usted es hoy mi huésped! ¡Champaña! ¡Santo Dios...! No podemos hacerlo todo en un día. Descansemos un poco y repararemos fuerzas, ahora que nadie nos apura. ¡Mire usted cómo tengo las manos!

Firme en su propósito de que nos reposáramos, me propuso jugar a los naipes. Me enseñó varios juegos, y después de repartirnos Londres, adjudicándose él la orilla derecha y yo la izquierda, comenzamos a jugarnos los barrios. Por ridículo y tonto que parezca al lector este acontecimiento, el hecho es exacto y, aunque parezca mentira, yo me interesaba grandemente en el juego.

¡Extraño espíritu el del hombre! La especie entera estaba bajo la amenaza de ser exterminada o sometida a espantosa degradación, y nosotros nos entreteníamos con el vaivén de estos pedazos de cartulina pintada, y bromeábamos con verdadera alegría. Después me enseñó a jugar al póquer, y luego le derroté en tres partidas consecutivas de ajedrez. Estábamos tan interesados en una de ellas, que cuando se hizo de noche nos atrevimos a encender una lámpara.

Después de una interminable serie de partidas nos pusimos a cenar y dio fin el artillero al champaña.

Continuamos fumando. Ya no era el enérgico regenerador de la especie humana; seguía siendo optimista, pero con optimismo más encalmado y reflexivo. Recuerdo que brindó a mi salud en un discurso incoherente y monótono. Cogí un cigarro y trepé por la escalera para ver los resplandores verdosos de que me había hablado.

Al principio me quedé mirando el valle de Londres. Las colinas del Norte estaban envueltas en tinieblas; eran rojas las llamas que se veían en Kensington, y de cuando en cuando se lanzaba a los cielos una lengua de fuego amarillento para desvanecerse en el azul intenso de la noche. Todo el resto de la gran ciudad estaba oscuro.

Pero reparé en que había más cerca una claridad extraña, una especie de fosforescencia de color morado que la brisa nocturna hacía estremecerse. No comprendí lo que era durante largo rato; luego pensé en que la producía la Hierba Roja. Al darme cuenta de esto, se me volvió a despertar la curiosidad adormecida, y con ella el sentido de las proporciones. Busqué con los ojos el planeta Marte, que resplandecía en color rojo hacia el Oeste, y luego miré intensamente las tinieblas que se extendían sobre Hampstead y Highgate.

Permanecí largo tiempo en el tejado, pensando en los grotescos cambios del día. Recordaba yo mis distintos estados de espíritu, desde las oraciones de la noche hasta los estúpidos juegos de naipes. Sentí violento desprecio hacia mí mismo, y recuerdo que arrojé el cigarro con el gesto de quien se desprende de algo dañino. Mi tontería se me apareció como acción monstruosa. Me creí traidor a mi mujer y al género humano; los remordimientos se apoderaron de mi espíritu. Decidí abandonar a su glotonería y a su embriaguez a ese loco y extraño soñador de cosas grandes e irme solo a Londres. Me pareció más fácil averiguar allí lo que hacían los marcianos y mis semejantes. Aún me hallaba en el tejado cuando apareció en el horizonte la tardía luna.

8. Londres muerto

Cuando me despedí del artillero bajé la colina y, siguiendo la calle Mayor, crucé el puente de Lambeth, cuyo paso obstruía casi del todo la tumultuosa Hierba Roja. Pero ya las ramas comenzaban a blanquear aquí y allá, síntoma de la enfermedad que en tan breve tiempo habría de extinguirla.

En la esquina de la carretera que conduce a la estación de Putney Bridge encontré a un hombre tumbado. Estaba tan negro como un deshollinador, cubierto de polvo, pero aún vivo y con una borrachera que no le permitía ni moverse ni hablar. En contestación a mis preguntas soltó una serie de blasfemias y de injurias. Creo que a no ser tan bárbara su fisonomía me habría quedado con él.

La carretera estaba cubierta de una capa de polvo negro, que se hizo más espesa al llegar a Fulham. Reinaba en las calles horrible silencio. Encontré pan en una panadería, malo, duro, mohoso, pero aún comestible. Al acercarme a Walham Green desapareció el polvo de las calles y pasé frente a un grupo de casas incendiadas. El ruido de las llamas alivió mi espíritu, pero al llegar a Brompton volvió el silencio a reinar en las calles.

De nuevo caminé sobre polvo negro y volví a encontrar otros cadáveres. Vi una docena, poco más o menos, en toda la calle Mayor de Fulham. Como debían de estar allí desde días, no me detuve en examinarlos. El polvo negro que los cubría suavizaba sus líneas, pero algunos habían sido removidos por los perros.

Allí donde no se veía polvo negro, las tiendas y casas cerradas y las persianas corridas hacían pensar en un domingo londinense. En algunos parajes se notaban huellas de ladrones, pero raramente en otros establecimientos que no fueran tabernas o tiendas de comestibles. El escaparate de un joyero aparecía roto, pero el ladrón debió de haber sufrido algún contratiempo porque había en la acera varias cadenas de oro y un reloj. No me molesté en recogerlos. Más allá vi una mujer andrajosa acurrucada en un portal; la mano que le colgaba de la rodilla estaba acuchillada, la sangre cubría sus harapos, y el champaña de una botella rota formaba un charco en la acera. Parecía dormir, pero se hallaba muerta.

Cuanto más penetraba en Londres era mayor el silencio. Pero no era el silencio de la muerte, sino el de la espera de cosas próximas, irremediables. La destrucción, que ya había devastado los arrabales del noroeste de la metrópoli y aniquilado Ealing y Kilburn, podía caer igualmente sobre estas casas y reducirlas a cenizas humeantes. Era una ciudad condenada, abandonada voluntariamente.

En las calles de South Kensington no encontré ni cadáveres ni polvo negro. No lejos de este punto oí por vez primera una especie de aullido, que llegó al principio a mis oídos de modo casi imperceptible. Era como un sollozo de dos notas:

«¡U-la! ¡U-la! ¡U-la!», que se repetía sin interrupción. Al atravesar las calles que daban al Norte, crecía en intensidad, y luego las casas y los edificios parecían amortiguarlo e interceptarlo. Al bajar la calle de la Exposición lo oí en toda su plenitud. Me detuve, vueltos los ojos hacia los jardines de Kensington, preguntándome lo que sería tan extraño y remoto lamento. Era como si aquel desierto enorme de edificios hubiera hallado la voz que expresara su miedo y soledad.

«¡U-la! ¡U-la! ¡U-la!», gemía la voz superhumana, en grandes olas sonoras que barrían la calle asoleada, entre altos edificios. Maravillado, me volví hacia el Norte, encaminándome a las verjas de Hyde Park. Tuve el propósito de entrar en el Museo de Historia Natural y de subirme a la cúspide de las torres para ver lo que ocurría en el parque. Pero decidí seguir en tierra, donde era más fácil esconderme con rapidez, y remonté la calle de la Exposición. Los altos edificios, silenciosos y abandonados, me devolvían de fachada en fachada el ruido de mis pasos.

Al llegar a las puertas del parque encontré un ómnibus volcado y el esqueleto completamente limpio de un caballo. Me quedé perplejo un rato, y seguí hasta el puente de la Serpentina. La Voz se hacía más potente de segundo en segundo, aunque del lado norte del parque no se viera por encima de las casas más que una niebla de humo.

«¡U-la! ¡U-la! ¡U-la!», repetía la Voz, que me parecía venir de los alrededores de Regent's Park. El desolado grito comenzó a influir en mi ánimo, y desapareció la excitación que me había sostenido. El gemido se apoderó de mí. Sentí que estaba intensamente fatigado, con los pies doloridos, muerto de hambre y sed.

Era más de mediodía. ¿Por qué vagaba solo en la ciudad muerta? ¿Por qué estaba yo solo cuando Londres yacía majestuoso, envuelto en su negro sudario? La soledad se me hizo intolerable. Me acordé de amigos olvidados años atrás. Pensé en los venenos que contenían las farmacias y en los vinos almacenados en las tabernas. Evoqué las miserables imágenes de las dos únicas criaturas desesperadas que, a mi juicio, compartían conmigo la ciudad...

Llegué a la calle de Oxford por Marble Arch, donde de nuevo encontré varios cadáveres y el polvo negro. Por las rejas de los sótanos de algunas casas subía un mal olor, de mal augurio. Como la caminata y el calor me habían aguzado la sed, después de mucho trabajo encontré de comer y de beber. Me sentí tan cansado al concluir de comer, que entré en el cuarto que había detrás del mostrador y me dormí en un sofá de crin negra.

Al despertarme, el espantoso aullido seguía llenando los oídos:

«¡U-la! ¡U-la! ¡U-la!».

Anochecía. Recogí en el mostrador galletas y queso –también había una fresquera de guardar carne, pero no encerraba más que gusanos–, atravesé varias plazas silenciosas, guarnecidas de quintas señoriales –no recuerdo otro nombre que el de Portman Square–, y por la calle de Baker llegué al fin a Regent's Park. Cuando desembocaba vi sobre los árboles, a la claridad del crepúsculo, la caperuza del marciano gigantesco que exhalaba los gritos. No me aterroricé. Verle allí me parecía la cosa más natural del mundo. Lo contemplé algún tiempo, sin que él se moviera. Rígido e inmóvil, aullaba por razones que yo desconocía.

Traté de combinar un plan de acción. Pero el ruido interminable de «¡U-la! ¡U-la! ¡U-la! ¡U-la!» me embrollaba los pensamientos.

Tal vez me hallaba excesivamente fatigado para tener mucho miedo. La verdad es que sentía más deseos de conocer la causa de esos gritos que temores. Tratando de bordear el parque eché a andar por Park Road y al poco rato pude ver de arriba abajo al marciano estacionario y gemebundo en dirección de St. John's Wood. A unos doscientos metros oí un coro de ladridos y vi primero un perro grande que llevaba en la boca un pedazo de carne podrida y después un hatajo de perros hambrientos que le seguían ladrando. Al divisarme se volvió bruscamente, temeroso de que yo fuera otro competidor. Cuando los ladridos se apagaron en la calle silenciosa, volvió a escucharse el «¡U-la! ¡U-la! ¡U-la! ¡U-la!».

Al acercarme a la estación de St. John's Wood encontré los restos de una Máquina de Mano. Al principio pensé que alguna casa se había caído en medio del camino. Sólo cuando hube trepado por las ruinas reparé, estremeciéndome, en que se trataba de un titán mecánico, que yacía con los tentáculo doblados, retorcidos y machacados entre los destrozos que había ocasionado. La parte delantera estaba hecha pedazos; era como si la máquina se hubiese lanzado a ciegas contra la casa y ésta la hubiese sepultado al caer. Me pareció que esto debió de haber ocurrido en un momento en que faltara a la Máquina de Mano la dirección de su marciano. Hubiera sido peligroso trepar más alto para verlo, y anochecía tan rápidamente, que hasta la sangre que salpicaba la máquina y los restos cartilaginosos del marciano, abandonados por los perros, se hicieron invisibles para mí.

Maravillado más que nunca de lo que había visto, seguí andando hacia Primrose Hill.

Más allá, por entre un claro de los árboles, vi a un segundo marciano, junto al Jardín Zoológico, inmóvil como el primero, erguido y silencioso. De nuevo me rodeó la Hierba Roja, pues el canal no era más que una masa sombría de vegetación color rojo oscuro.

Al cruzar el puente, cesó de súbito el ruido de: «¡U-la! ¡U-la! ¡U-la! ¡U-la!», como si lo hubieran, por decirlo así, cortado de un hachazo. Cayó el silencio como un trueno.

Las altas casas que me rodeaban se oscurecieron, hasta no distinguirse unas de otras; los árboles del parque se pusieron negros. A mi alrededor trepaba la Hierba Roja y se retorcía por encima de mí como para envolverme en la oscuridad. La Noche, Madre del Miedo y del Misterio, caía sobre mí. Pero, mientras resonaba aquella voz, habían sido soportables la soledad y la desolación; por su virtud parecía vivir aún Londres, y el sentido de la vida me sostenía. Pero de pronto sobrevino un cambio, pasó no sé qué cosa, y llegó un silencio que podía palparse... Nada más que silencio.

Londres, en torno a mí, me miraba con ojos espectrales. Las ventanas de las casas blancas parecían huecas órbitas de un esqueleto. Mi fantasía encontraba millares de enemigos silenciosos que daban vueltas a mi alrededor. Se apoderó de mí el horror, el horror a mi temeridad. La calle por donde debía ir me pareció espantosamente negra, como una ola de brea, creí ver una forma contorsionada en medio del camino y no me determiné a seguir. Volví por la calle de St. John's Wood y eché a correr en dirección de Kilbum para alejarme de este silencio intolerable. Me escondí hasta mucho después de las doce en una estación de coches de Harrow Road para escapar a la oscuridad y al silencio. Pero antes del alba recobré ánimos, y cuando todavía parpadeaban las estrellas me volví de nuevo hacia Regent's Park. Equivoqué el camino y a la media luz del amanecer vi dibujarse, al final de una

larga avenida, la pendiente de Primrose Hill. En la cúspide se erguía contra las pálidas estrellas un tercer marciano, rígido e inmóvil como los otros.

Me acometió un propósito insensato. Quería morirme
y acabar de una vez, pero sin la molestia de matarme yo
mismo. Me eché el alma a la espalda y me acerqué al titán;
al acercarme vi a favor de la creciente claridad del alba
una multitud de cuervos que se atropellaban y giraban en
tomo a la caperuza del marciano. Me dio un brinco el corazón y eché a correr.

Crucé precipitadamente un macizo de Hierba Roja
que cubría St. Edmund's Terrace, sumergiéndome hasta medio cuerpo en el agua que se escapaba a torrentes
de los depósitos de Albert Road, y antes de que saliera
el sol desemboqué en una pradera. En lo alto de la colina aparecían removidos gigantescos montones de tierra,
que formaban una especie de trinchera titánica. Era el
último y el mayor de los campamentos marcianos. Por
detrás de la tierra removida subía a los cielos un hilo tenue de humo. Pasó por la línea del horizonte un perro
ansioso y desapareció.

El propósito que me acometía se hizo real, verosímil,
al escalar la colina y acercarme al monstruo; no sentía
temor alguno, sino una exaltación frenética que hacía
temblar. Del capuchón inmóvil le colgaban los pedazos
de carne pegajosa, en que picoteaban las aves de rapiña.

Subí en dos brincos la muralla de tierra, y de pie en la
cúspide logré ver el interior del reducto. Era un gran espacio en el que había gigantescas máquinas en desorden,
colosales montones de materiales extraños y agujeros.
Y desparramados aquí y allí, los unos en las caídas Máquinas de Guerra, los otros en las ya rígidas Máquinas de
Mano, una docena, tiesos, callados, puestos en fila, ya-

cían los marcianos –*¡muertos!*– muertos por los bacilos de los contagios y de las podredumbres, contra los cuales no se hallaba preparado su organismo; muertos como la Hierba Roja; muertos después de fracasar todos los medios defensivos humanos, por las ínfimas criaturas que Dios, con su sabiduría, ha puesto en esta tierra.

Éste era el resultado que yo hubiera debido prever y muchas otras gentes de no habernos cegado el entendimiento, el pánico y el desastre. Desde el comienzo de las cosas, los gérmenes de las enfermedades han cobrado sus diezmos sobre la humanidad; los cobraron sobre nuestros antepasados prehistóricos, los cobraron desde el comienzo de la vida. Pero en virtud de la selección natural, nuestra especie ha ido desarrollando su fuerza de resistencia; no nos vencen estos gérmenes sin lucha; contra algunos –por ejemplo los que causan la putrefacción de la materia muerta–, nuestras formas vivientes son del todo inmunes. Pero en el planeta Marte no existen las bacterias, y tan pronto como bebieron y comieron, nuestros aliados microscópicos empezaron a combatirlos. Cuando yo los había examinado en Mortlake, estaban ya condenados sin remedio; se morían, se corrompían al agitarse. Era inevitable. Al precio de millones y millones de muertes ha pagado el hombre su posesión hereditaria del globo terrestre; le pertenece contra todos los intrusos; le pertenecería aunque fueran los marcianos diez veces más potentes. Porque los hombres no viven ni mueren en vano.

Había unos cincuenta marcianos desparramados en su inmensa fosa, sorprendidos por una muerte que debió de parecerles completamente incomprensible. Tampoco yo la comprendería entonces. Lo que sí supe es que aquellos seres, tan terribles para el hombre cuando vivos, yacían ahora muertos. Me figuré por un momento que se había reproducido la destrucción de Senaquerib, que Dios se arrepentía, que el Ángel de la Muerte los mataba de noche.

Permanecí de pie, contemplando el agujero. Al salir el sol a inundar el mundo con sus áureos rayos, se me encendió el corazón gloriosamente. El hoyo seguía oscuro; los formidables aparatos de complejidad y poder tan grandes y maravillosos, tan poco terrestres por sus formas tortuosas, se elevaban hacia la luz vagos, extraños, siniestros. Una multitud de perros se disputaban en el fondo de la cavidad los despojos que había en lo oscuro. La máquina volante, que probaban en nuestra atmósfera más densa cuando les sorprendió la enfermedad y después la muerte, yacía del otro lado. Y la muerte llegó a su hora. Un graznido me hizo levantar la cabeza y ver en lo más alto de Primrose Hill la enorme máquina de guerra que nunca más volvería a luchar; los pedazos de carne roja colgaban de sus flancos.

En dirección opuesta, el revuelo de los cuervos aureolaba a los otros dos gigantes que yo vi la víspera, tal como la muerte los había sorprendido. Uno de ellos murió tal vez antes de que cesaran sus gritos y sus llamadas a los compañeros; tal vez fue el último en morir, tal vez resonaron sus gemidos hasta agotarse la fuerza de su máquina. Ahora, convertidos en inofensivos trípodes de metal, resplandecían a los rayos del sol naciente.

Alrededor de este agujero, salvada como de milagro de eterna destrucción, se extendía la gran ciudad, Madre de Ciudades. Quien no haya visto Londres libre de brumas se imaginaría difícilmente la suma de belleza de su desierto silencioso de edificios.

Por encima de las ennegrecidas ruinas de Albert Terrace y del roto campanario de la iglesia, resplandecía el sol en el cielo transparente, y aquí y allá algún vidrio reflejaba sus rayos con fuerza cegadora sobre la inmensidad de los tejados. Se extendían llenos de luz esplendorosa los andenes y almacenes circulares de la estación de Chalk Farm y los vastos espacios antes estriados de negro por los raíles que ahora enrojecía la roña de dos semanas de reposo. Había en todo esto algo del misterio de la belleza.

Al Septentrión se extendían por la línea del horizonte Kilbum y Hampstead con su multitud de casas; al Oeste la gran ciudad permanecía en la sombra, y hacia el Sur, más allá de los marcianos, las verdes praderas de Regent's Park, el Langharn Hotel, el dolmen de Albert Hall, el Instituto Imperial y las casas gigantescas de Brompton Road se destacaban con precisión bajo el sol de Levante, mientras que las dentadas ruinas de la abadía de Westminster surgían de entre ligera bruma. Aún más allá se alzaban las colinas azules de Surrey, y las torres del palacio de Cristal refulgían como barras de plata. La masa de San Pablo era una mancha negra en el Oriente; vi por primera vez que habían abierto en el dolmen un inmenso boquete.

Al contemplar esta vasta extensión de casas, de almacenes, de iglesias, abandonada y silenciosa; al pensar en las esperanzas y en los esfuerzos infinitos, y en las innumerables multitudes de vidas que habían sido necesarias para construir este arrecife humano, y en la rápida y despiadada destrucción que acababa de amenazarlo; cuando comprendí que la amenaza no se realizaba, que de nuevo los hombres recorrerían las calles y que esta inmensa ciudad muerta, que me era tan querida, recobraría su animación y su riqueza, sentí tal emoción, que me eché a llorar.

El suplicio había terminado. Desde aquel momento mismo empezaría la convalecencia. Iban a volver cuantos supervivientes vagaban por los condados, sin dirección, sin ley, sin víveres, como rebaños sin pastor, y cuantos se hubieran escapado por mar. La vida palpitaría con más fuerza por las calles solitarias, hasta llenar las plazas. Sea lo que fuere lo ya destruido, la mano del destructor se había parado; la mano del destructor se había detenido. En los escombros siniestros, en los esqueletos ennegrecidos de las casas, que parecían tan lúgubres junto a los verdes y asoleados flancos de la colina, resonarían pronto los martillos de los restauradores. Al pensar en ello, extendí las manos al cielo dando gracias a Dios.

–¡Dentro de un año! –me dije–. ¡Dentro de un año...!

Y luego se arrojó sobre mi espíritu con fuerza abrumadora la preocupación de mí mismo, de mi mujer, de mi antigua existencia de tierna compañía y de esperanzas comunes; mi antigua existencia, desaparecida para siempre...

9. El desastre

Y ahora llego al punto más extraño de mi historia, aunque tal vez no sea completamente extraño. Conservo el recuerdo preciso, sereno y despejado de lo que hice aquel día, hasta que me puse a llorar y a dar gracias a Dios en lo alto de Primrose Hill. Pero después... ya no sé nada.

No sé nada de los tres días posteriores. Luego tuve conocimiento de que, lejos de ser yo el primero en descubrir la muerte de los marcianos, varios vagabundos se me habían adelantado. Un hombre –el primero– estuvo en San Martin's-le-Grand y, mientras yo me escondía en la estación de coches, se las arregló para telegrafiar a París. La feliz noticia dio la vuelta al mundo. Un millar de ciudades, sumidas en terrores espectrales, se entregaron a frenéticos regocijos en iluminaciones locas. Llegó la noticia a Dublín, a Edimburgo, a Manchester y a Birmingham cuando yo examinaba desde sus bordes el último campamento marciano. Ya los hombres, según he oído decir, llorando de júbilo, interrumpiendo su trabajo para darse la mano y lanzar vivas, montaban trenes de regreso, aun en puntos tan cercanos a Londres como Crewe. Las campanas de Inglaterra, calladas desde hacía quince días, voltearon unánimes en celebración de la noticia. Ciclistas haraposos, de caras consumidas, recorrían las carreteras como relámpagos, para esparcir la nueva de la liberación imprevista entre las gentes errabundas, ¡desesperadas sombras tétricas! ¿Y los víveres? Por el Canal y por el mar de Irlanda por el Atlántico se precipitaban en nuestro socorro cargamentos de harina, pan y de carne. Todos los barcos del mundo parecían encaminarse a Londres. Pero no recuerdo nada de esto. Yo corría por la ciudad en un acceso de locura, y al recobrar el sentido me encontré en casa de gentes bondadosas, que me recogieron en las calles de St. John's Wood cuando llevaba tres días de andar sin rumbo y de llorar de rabia. Me han dicho después que yo cantaba coplas sin sentido sobre «¡El último hombre vivo! ¡Hurra! ¡El último hombre vivo!» y, no obstante la preocupación de sus propios asuntos, estas gentes, cuyo nombre no sabría decir, a pesar de lo que deseo expresarles mi gratitud, esas gentes cargaron conmigo, me dieron su techo y me protegieron contra mis furores. Según parece, debí de contarles en ese tiempo fragmentos de mi historia.

Cuando se me pasó el delirio, me fueron dando cuenta poco a poco de lo ocurrido en Leatherhead. Un marciano destruyó la villa, con todos sus habitantes, al segundo día de hallarme yo encerrado en Mortlake. La destruyó sin que nadie le provocara, por capricho, por alarde de fuerzas, como un niño demuele un hormiguero.

Estaba yo solo y sin hogar, y esas gentes fueron cariñosas para conmigo. Estaba yo solo y triste, y compartieron mis penas. Permanecí con ellas hasta cuatro días después de mi restablecimiento.

En estos cuatro días fue creciendo en mi espíritu el anhelo inexplicable de ver una vez más los restos de lo que había sido para mí existencia feliz y luminosa. Era un deseo mórbido de recrearme en mi desventura. Hicieron cuanto estaba de su parte para quitarme de la cabeza este enfermizo pensamiento. Pero no pude resistir más tiempo a mis impulsos; les prometí volver fielmente, me despedí de estos amigos de cuatro días con lágrimas en los ojos y eché a andar por las calles tan sombrías recientemente, tan extrañas, tan abandonadas.

Ya se agitaba en ellas la gente de regreso, ya se veía alguna tienda abierta, y hasta fluía en una fuente el agua cristalina.

Recuerdo cuán irónicos me parecieron los esplendores del día al emprender mi peregrinación melancólica a la casita de Woking, cuán viva la animación que me rodeaba, cuán atareadas las gentes. Había tantas en las calles, ocupándose en mil faenas, que parecía imposible hubiera perecido una parte tan considerable de la población. Pero entonces reparé en lo amarillo de las caras, en lo harapiento de las ropas, en el tamaño y en el brillo de los ojos. No se leía en los semblantes más que alegría frenética y saltarina o voluntad reconcentrada y firme. A no ser por la expresión de los rostros, Londres habría parecido una ciudad de vagabundos. Las juntas parroquiales distribuían a derecha e izquierda el pan enviado por el gobierno francés. Los pocos caballos que se veían arrastraban tristemente los costillares descarnados. Policías provisionales en cada esquina lucían por toda insignia una cinta blanca atada al brazo. Hasta que alcancé la calle de Wellington no percibí señal de los destrozos originados por los marcianos, pero la Hierba Roja trepaba por los arcos y columnas del puente de Waterloo.

También vi en una esquina del puente uno de los vulgares contrastes de aquella época grotesca. Una hoja de papel se pavoneaba en una estaca contra un macizo de Hierba Roja; era el anuncio del primer periódico que reanudaba la publicación –el *Daily Mail*–. Di por un número un chelín ennegrecido que me encontré en el bolsillo. La mayor parte del periódico estaba en blanco; pero el único cajista que debió de componerlo se había entretenido en llenar la segunda plana de un conjunto abigarrado de clisés. El resto era un serie de impresiones personales; aún no se había reorganizado el servicio de noticias. Nada decía de nuevo, sino que eran asombrosos los resultados del examen de las máquinas marcianas... Entre otras cosas, aseguraba el articulista lo que no creí en aquel entonces: que ya se había descubierto el «Secreto de Volar». Los trenes de la estación de Waterloo conducían de balde a los pasajeros. Pasado el primer ímpetu, no era mucha la gente que había en la estación, y como no me sintiera con ganas de entablar conversaciones ocasionales, entré en un departamento vacío, y me puse a contemplar, con los brazos cruzados, el espectáculo de aquella devastación asoleada.

Al salir de la estación comenzó a traquetear el tren sobre raíles provisionales; las casas de ambos lados de la vía eran ruinas negruzcas; desde el cruce de Clapham la faz de Londres aparecía teñida de Humo Negro, no obstante los dos últimos días de tempestad y lluvia. También en el cruce de Clapham se interrumpía la línea. Centenares de obreros improvisados –oficinistas sin empleo y dependientes de comercio– trabajaban junto a los peones de profesión. El tren traqueteó nuevamente al pasar sobre la línea.

A lo largo de la vía estaba la comarca desconocida y desolada. Wimbledon, sobre todo, era un montón de escombros; Walton, gracias a sus pinares no incendiados, parecía la localidad menos perjudicada. El Wandle, el Mole y todos los ríos se habían transformado en macizos de Hierba Roja, color de carne fresca. Los pinares de Surrey eran sobrado secos, sin embargo, para la planta trepadora. Más allá de Wimbledon se veían desde el tren, junto a unos plantíos, los montones de tierra removida por la caída del sexto cilindro. Entre la multitud que los miraba se veía trabajar a un grupo de zapadores. Agitada por la brisa matutina, ondeaba alegremente la bandera británica. La Hierba Roja teñía de púrpura todos los plantíos, convirtiéndolos en extensiones de colores lívidos cortados por sombras escarlata que ofendían a la vista. Y servía de infinito alivio mirar a lo lejos las suavidades azuladas de las colinas después del rojo violento que dominaba en los primeros términos.

Como aún estaba en reparaciones la línea de Woking, me apeé en Byfleet y emprendí el camino de Maybury, pasando por el lugar donde el artillero y yo hablamos con los húsares y por el paraje donde se me apareció un marciano a los relámpagos de la tormenta. Espoleado por la curiosidad, me eché a un lado para buscar en las orillas el cochecillo volcado y roto; estaba entre un dédalo de Hierba Roja; a su lado aparecieron los huesos blanquecinos del caballo, roídos y dispersos. Me quedé un rato en contemplación.

Reanudé el camino por el bosquecillo de abetos; a veces la Hierba Roja me llegaba hasta el cuello. El cadáver del posadero del Perro Atigrado debió de haber recibido sepultura. Así llegué a mi casa, pasando por la Academia Militar. Un hombre que estaba en pie junto a la puerta abierta de un jardín, me saludó por mi nombre al pasar.

Miré la casa con un relámpago de esperanza, que se desvaneció inmediatamente. Estaba forzada la cerradura y la puerta se abría lentamente al acercarme yo.

Se cerró de golpe. Las cortinillas de mi despacho flotaban al viento en la ventana desde la que estuvimos aguardando la aparición del alba el artillero y yo. Nadie la había cerrado desde entonces. Los arbustos, magullados, estaban como los dejé cuatro semanas antes. Entré en el vestíbulo y mis pasos sonaron a hueco. La alfombra de la escalera seguía sucia y descolorida en el lugar donde, lleno de agua y de barro, me había dejado caer la noche de la catástrofe. Aún se notaba en los escalones la huella fangosa de nuestros pasos.

La seguí hasta el despacho y me encontré en la mesa de escribir, bajo el trozo de selenita que me sirve de pisapapeles, la cuartilla en que trabajaba la tarde de la apertura del cilindro. Hojeé el manuscrito: era un artículo sobre el «probable desarrollo de las ideas morales en concordancia con el progreso material e intelectual». La última frase era el comienzo de una profecía: «Es de esperar que dentro de doscientos años...». Y así acababa... Me acordé de aquella mañana de un mes antes, en que no pude concertar ideas, e interrumpí el trabajo para ir a comprar el *Daily Chronicle.* Recordé haber salido hasta la puerta del jardín para comprarlo; recordé haber escuchado al vendedor su singular relato sobre los «hombres caídos de Marte».

Bajé las escaleras y entré en el comedor. Allí encontré pedazos de pan y de carnero, ya podridos, y una botella de cerveza en el lugar donde los dejamos el artillero y yo. Mi hogar estaba desolado. Comprendí cuán loca era la tímida esperanza que había acariciado tanto tiempo. Pero entonces ocurrió algo extraño.

–Es inútil –decía una voz–, la casa está vacía desde hace dos semanas por lo menos. ¿Para qué te has de atormentar en ella...? Sólo tú te has salvado.

Me estremecí. ¿Es que yo mismo había expresado en voz alta mi pensamiento? Me volví, me asomé por la puerta-ventana... Allí estaban, tan espantados y estupefactos como yo, mi primo y mi mujer; mi mujer, con los ojos secos y el semblante lívido, lanzó un grito ahogado.

–Vine –me dijo– porque sabía..., sabía...

Se llevó la mano a la garganta, se le inclinó el cuerpo... Di un paso hacia adelante; la recibí en los brazos.

Epílogo

Al terminar este relato he de dolerme de lo poco que puedo contribuir al esclarecimiento de los problemas que hoy se debaten. Mis opiniones sobre un extremo promoverán críticas serias. Mi especialidad es la filosofía especulativa; mis conocimientos de fisiología comparada son los de uno o dos libros, pero me parece, sin embargo, que las hipótesis de Carver sobre la muerte rápida de los marcianos son tan probables, que pueden ser consideradas como conclusiones definitivas. A ellas me he atenido en el curso de la narración.

Sea lo que fuere, en ninguno de los cuerpos examinados al terminar la guerra se encontró bacteria que no perteneciera a las especies terrestres ya estudiadas. El hecho de que no enterraran a sus muertos y las matanzas que perpetraron atolondradamente denotan entera ignorancia de los peligros de la putrefacción. Pero, aunque esto parece lo probable, reconozco que no es conclusión definitiva.

Tampoco se conoce la composición del Humo Negro que emplearon los marcianos con tan mortíferos efectos; y continúa siendo un acertijo el generador del Rayo Ardiente. Los terribles desastres acaecidos en los laboratorios de Ealing y de South Kensington han descorazonado a los químicos, que ya no se atreven a emprender investigaciones más detalladas. Los análisis espectrales del polvo negro señalan la presencia de un elemento desconocido, que marca en el color verde del espectro un grupo brillante de tres líneas y que es posible se combine con el argón para formar un compuesto de efectos mortales e inmediatos sobre algún elemento de la sangre. Tampoco se pudo examinar a tiempo la espuma oscura que bajó por el Támesis después de la destrucción de Shepperton; y ya en lo sucesivo no se presentará ocasión de hacerlo.

Ya me he referido al examen anatómico de los marcianos o, mejor dicho, de lo que dejaron para examen los perros vagabundos. Pero, sin embargo, todo el mundo conoce el ejemplar magnífico y casi completo que conserva en alcohol el Museo de Historia Natural, así como los innumerables dibujos y reproducciones que se han publicado. Pero, fuera de esto, el interés que ofrecen su fisiología y estructura es puramente científico.

Queda el problema, harto más grave y de interés universal, de saber si es posible otra invasión de los marcianos. No creo que se haya prestado atención suficiente a este aspecto del asunto. Ahora, el planeta Marte se halla en conjunción, pero a cada nueva oposición es de esperar otra intentona. Debemos apercibirnos de todos modos. Me parece que sería posible determinar exactamente el lugar a que apuntará el cañón con que descarguen sus cilindros, vigilar atentamente la parte amenazada de nuestro planeta y adelantarnos a los ataques próximos.

En este caso podríamos destruir el cilindro por medio de la dinamita o de la artillería antes de que se enfriase lo suficiente para que salieran los marcianos o despedazarlos a cañonazos tan pronto como la cubierta se destornillara. Me parece que el fracaso de su primera sorpresa les ha hecho perder grandes ventajas y aun es posible que ellos lo hayan comprendido.

Lessing ha supuesto con razones excelentes que los marcianos han logrado ahora trasladarse al planeta Venus. Hace siete meses Marte y Venus estaban en la misma línea que el Sol, o, lo que es lo mismo, Marte se hallaba en oposición para los observadores de Venus. Poco después apareció una marca luminosa y quebrada en el hemisferio oscuro de Venus, y casi al mismo tiempo se descubrió una huella oscura y débil en una fotografía del disco marciano. Pero es necesario ver los dibujos de estos signos para apreciar la notable analogía de tales indicios.

De todos modos, esperemos o no nuevas invasiones, estos acontecimientos nos obligan a modificar grandemente nuestras miras sobre el porvenir de la humanidad. Hemos aprendido a no considerar en lo sucesivo nuestro planeta como segura e inviolable morada del hombre; nunca sabremos prever qué bienes o qué males invisibles pueden sobrevenirnos del espacio. Es posible, en los amplios designios del Universo, que no deje al fin de beneficiarnos la invasión marciana; se nos ha arrancado esa confianza tranquila en el porvenir, que es la fuente más segura de degeneración; deben las ciencias a estos sucesos inapreciables dones y han contribuido considerablemente al progreso de la solidaridad entre los hombres. Es posible que al través de la inmensidad de los espacios espiaran los marcianos el destino de sus exploradores y que, aprovechando la lección, hayan encontrado en el planeta Venus residencia más segura. Pero, aunque así no fuere, durante muchos años se continuará examinando sin descanso el disco de Marte y, al caer esos ígneos dardos del cielo, esas estrellas errantes, sentirán aprensiones inevitables todos los hijos de los hombres.

Difícilmente se llegará a la exageración al ponderar lo que debe a estos sucesos el desarrollo del pensamiento humano. Antes de que cayera el cilindro reinaba el convencimiento de que en toda la profundidad de los espacios no había vida más que en la ínfima superficie de nuestra diminuta esfera.

Ahora alcanza más nuestro pensamiento. Si los marcianos han llegado a Venus, no hay razón para suponer que sea el hecho imposible a los hombres y, cuando el paulatino enfriamiento del sol haga inhabitable la Tierra, como sucederá al fin, acaso el hilo de la vida, comenzado aquí abajo, continúe en el planeta hermano y lo abrace con sus redes. ¿Tendremos que conquistarlo?

Vaga y maravillosa es la visión que evoco de la vida, la vida que se extiende lentamente de esta pequeña estufa del sistema solar por las inanimadas extensiones de los espacios siderales. Pero esto es un sueño remoto. Por otra parte, es posible que la destrucción de los marcianos sólo signifique para nosotros un aplazamiento. Tal vez el porvenir se encomiende a ellos y no a nosotros.

He de confesar que la violencia y los peligros de aquellos días han dejado en mi espíritu permanente sensación de inseguridad y de duda. Me siento a escribir en mi despacho, a la luz de la lámpara y de pronto vuelvo a ver el valle al pie de mi ventana cubierto de llamas retorcidas y me parece vacía y desolada la casa que me rodea. Salgo a la carretera de Byfleet, pasan por mi lado vehículos de todas clases, el carro de un carnicero, un landó de paseo, un obrero en bicicleta, varios niños que van a la escuela, y todo esto se me antoja de repente vago e irreal y creo correr con el artillero por el aire abrasado y bajo el silencio hostil.

De noche veo cómo el polvo negro oscurece las calles silenciosas, y reparo en los cuerpos contorsionados que yacen bajo aquella mortaja, se yerguen a mi paso, harapientos, medio comidos por los perros, me injurian y se enfurecen, de segundo en segundo se ponen más pálidos, más feroces, se convierten, por último, en disformes gestos de humanidad, y yo me despierto en las tinieblas de la noche, helado, estremecido, fuera de mí...

Voy a Londres; veo las activas multitudes de Fleet Street y del Strand y se me ocurre que sólo son fantasmas del pasado, que rondan las calles vistas por mis ojos silenciosas y abandonadas, sombras que van y vienen en la ciudad muerta, caricaturas de la vida en cuerpo petrificado. Y también me parece extraño subir la cuesta del Primrose Hill, como lo hice la víspera de escribir este capítulo, y mirar la gran masa de edificios, vagos y azulados que a través de un velo de neblina y de humo se desvanecen en el horizonte borroso y cercano, y ver cómo las gentes se pasean por los flancos de la colina en las avenidas bordeadas de flores, y contemplar los grupos de curiosos que rodean la marciana Máquina de Guerra, que todavía se alza allí, y oír el tumulto de los niños al jugar, y acordarme de que vi todo esto destacarse a la luz del sol, triste y silencioso, en la aurora de ese último gran día...

Y lo más extraño de todo es pensar, cuando de nuevo estrecho la mano de mi esposa, en que ella me ha contado y en que yo la he contado entre los muertos.

Índice

Libro primero: La llegada de los marcianos 9

1. La víspera de la guerra 11
2. El meteoro 20
3. En la llanada de Horsell 25
4. El cilindro se destornilla 29
5. El Rayo Ardiente 34
6. El Rayo Ardiente en el camino de Chobham 39
7. De cómo llegué a casa 43
8. La noche del viernes 48
9 Comienza la lucha 52
10. En el ataque 60
11. En la ventana 68
12. Lo que vi de la destrucción de Weybridge y de Shepperton 76
13. De cómo encontré al vicario 90
14. En Londres 97
15. Lo que sucedió en Surrey 111
16. El pánico 121
17. El *Lanzatruenos* 137

Libro segundo: La Tierra en poder de los marcianos......... 149

1. Bajo tierra 151
2. Lo que vimos desde las ruinas 160
3. Los días de encierro... 172
4. La muerte del vicario.. 179
5. El silencio.. 185
6. La obra de quince días... 189
7. El hombre de Putney Hill 194
8. Londres muerto.. 214
9. El desastre 225

Epílogo.. 232